できる日本語準拠
たのしい読みもの55

初級＆初中級 CD2枚付

嶋田和子 監修
できる日本語教材開発プロジェクト 著

アルク

はじめに

　初級・初中級レベルの日本語授業で、「読むこと」はどのように捉えられているのでしょうか。実は、習い覚えた語彙や文型などの確認や定着のために、読解授業を実施しているケースが多く見られます。こうした授業では、単に「読むために読む」「練習のために読む」といったことになりがちです。そこで、本書では3つの柱を立てました。

　1）接触場面での読みを大切にする。
　2）「読み」から生まれる多様な対話を大切にする。
　3）自律的な読み学習につなげる。

　根底には、日本語による「読むこと」を通して、人と人とがつながり、より豊かな生活が送れることをめざしています。この考え方にもとづき、本書に収められた55本のアイテムは、次の2つに分けて作られています。

第1部 「日本で暮らす」

　学習者が日常生活で目にするであろう文字情報の中からどのように情報を得るかが、タスクの中心です。メニューやガイドブック、チラシ、パンフレット、メール、ポスター、ホームページなど情報を扱う媒体はさまざまです。レベルを考慮し、実際の物を教材用にアレンジしてあります。

　日本に暮らす学習者には日本での生活がより快適なものになるように、海外の学習者には日本への関心が高まるように考えられています。

第2部 「日本を知る」

　学習者が読んで楽しむことができる、読んだことで周りの人々とのよりよいコミュニケーションにつながることを考えて書かれた読み物です。昔から知られているお話や「へえ、そうなんだ！」と新たな発見があるような情報系の話題を扱っています。日本の社会や文化を知り、また、単に読むことだけに終わるのではなく、「自分だったらどうするだろう」と考えたり、周りの人と読んだことについて感想や経験を共有したり、発展的な活動にもつながる内容です。

　また、アイテムを朗読した音声CDが付いています。読むことだけではなく、聞くことも楽しむことができます。

　人とつながる力を養い、対話によって自己の考えを深めていけるような「新たな読み」を初級の授業から取り入れてみませんか。

　　　教材が変わると、授業が変わる
　　　授業が変わると、学習者が変わる

2013年3月　著者一同

お使いになる方へ

本書は次のような構成になっています。

本冊

第1部「日本で暮らす」1～27
第2部「日本を知る」　1～28
解答例
シラバス

別冊 語彙リスト

　アイテムごとにレベルを考慮した上で、読むために必要と思われる語をリストアップし、英語、中国語、韓国語、ベトナム語の訳を付けました。読む際の参考にしてください。

付属CD

　「日本を知る1～28」の音声が収録されています。ＣＤＡには日本を知る1～20、ＣＤＢには日本を知る21～28に加え、特別付録として桂扇生「まんじゅう怖い」が収められています。本物の落語に触れてください。

目次
もくじ

はじめに ——— 2
お使いになる方へ ——— 3

第1部 日本で暮らす

1 何か食べたい。
ハンバーガーショップで注文 ——— 14

2 これは何？！
お店で見つけたおもしろい物 ——— 15

3 どこへ行く？
遊びに行こう！ ——— 16

4 東京で人気の街って？
週末に行ってみたい街 ——— 18

5 友達と一緒に遊びたい！
野球を見に行きましょう ——— 19

6 日本人の友達を作りたい！
イベントのお知らせ ——— 20

7 ケーキの食べ放題に行きたい。
ケーキの食べ放題特集！ ——— 22

8 夏休み、どこかへ行きたい。
沖縄へ行きたい ——— 23

9 試験のとき、どんな注意がある？
試験の注意書き ——— 24

10 電車が止まっているのかな？
駅の電光掲示板 ——— 25

11 生活に必要なものがほしい。
リサイクル掲示板 ——— 26

12 どこ行く？　何する？
たくさん遊びたい！！ ——— 28

13 地震への準備、何をしたらいい？
地震が来る前に ——— 30

14 プールへ行きたい。
いいプールを探そう ——— 32

⑮ 日本語でツイッターがしたい！
日本語でつぶやき♪ ——33

⑯ 今、人気のバスツアーって？
日帰りバスツアーに行こう！ ——34

⑰ どんなことが勉強できる？
学校のホームページ ——36

⑱ いつもの電車が動かない。どうしよう。
振替輸送 ——38

⑲ 返信をもらったけれど……。どういう意味かな？
飲み会に来る？　来ない？ ——39

⑳ どれを飲む？
薬の説明書 ——40

㉑ 日本の生活、どんなことに気をつけますか。
鍵をかけよう、声をかけよう ——41

㉒ 大雨や火事のとき、日本ではどうしたらいいんだろう。
ポストに入っていたお知らせ ——42

㉓ どうしよう？　困ったなあ。
お悩み解決！ ——44

㉔ これはどういう意味だろう？
電車やバスの中で見た注意書き ——46

㉕ 出願書類を書くとき注意することは何かな？
入学試験の準備〜出願書類〜 ——48

㉖ 今度の休みはどこへ行こうかな？
今度行くならこんなとこ！ ——50

㉗ これは何に使うの？
便利グッズでもっと楽しく、
　　　　　　もっと便利に！ ——54

第2部　日本を知る

1 CDA-01
日本語でクイズをしましょう！
これは何でしょう？ ——— 58

2 CDA-02
富士山の高さを知っていますか。
何の数でしょう？〜日本の数〜 ——— 59

3 CDA-03
「ワンワン」「ニャーニャー」何の声？
朝の音 ——— 60

4 CDA-04
日本の有名な物を紹介します。
日本の名物 ——— 61

5 CDA-05
外での大切なイベントの前日。絶対に雨になってほしくない。雨の多い日本ではこんなことをしています。
てるてる坊主 ——— 62

6 CDA-06
おじいさんがねずみにおにぎりをやると……。
おむすびころりん ——— 63

7 CDA-07
渋谷駅の前に「ハチ公」がいます。ハチは犬の名前です。ハチ公はどうして渋谷駅の前にいるのでしょうか。
ハチ公 ——— 66

8 CDA-08
旅行に行ったら、家族や友達にお土産を買って帰りますか。日本のお土産の始まり、実は……。
お土産の始まり ——— 67

9 CDA-09
北海道には有名な動物園があります。どうして有名になったのでしょう？
旭山動物園 ——— 68

10 CDA-10
日本のお見舞いのマナーを知っていますか。
お見舞い ——— 70

11 CDA-11
日本のラーメンはおいしい！　たくさん種類があるって聞いたけど、どんなラーメンがあるのかな？
ご当地ラーメン ——— 71

12 CDA-12
特別な日に食べる物って、どんな食べ物？
祝日ともち ——— 72

13 CDA-13
悪いことをしたら、どうなるの？
かちかち山 ——— 73

14 CDA-14
世界一古いSF小説は日本にあった……。
竹取物語 ——— 76

15 CDA-15
日本人の名前にはどういう意味があるのでしょうか。
日本人の名字 ——— 78

16 CDA-16
中学生や高校生のとき、勉強以外に何か夢中になっていたことがありますか。
部活！部活！部活！ ——— 79

17 CDA-17

日本の料理には、すし、てんぷら以外にもいろいろあります。日本の家庭でよく作る料理を知っていますか。
おふくろの味って何？ ——— 82

18 CDA-18

畳、押し入れなど和室にはどんな工夫があるでしょうか。
和室の工夫 ——— 84

19 CDA-19

昼ご飯、皆さんは何を食べますか。日本で一般的な「お弁当」を紹介します。
お弁当 ——— 86

20 CDA-20

「部屋の中は絶対に見ないでください」。でもそう言われると、見たくなる……。もし見てしまったら？
鶴の恩返し ——— 88

21 CDB-01

あなたにとって日本の有名人とは誰ですか。みんなが知ってる「あの人」を紹介します。
**明るくて、
　　　ハートの優しい女の子** ——— 92

22 CDB-02

江戸時代って聞いたことがありますか。この時代の人々は……。
**「傍（＝自分の周りにいる人）を
　　　楽にする」働き** ——— 94

23 CDB-03

東京は大都市、人や物が集まってきます。では、地方の町は？
地方を元気に！ ——— 95

24 CDB-04

日本にあるいろいろな町の名前には、どんな意味があるのでしょうか
**日本の地名
　　～六本木には木が6本？～** ——— 96

25 CDB-05

笑う人のところには健康が来るって本当でしょうか。
笑う門には健康来る ——— 98

26 CDB-06

おもしろそうな仕事！ 実は、江戸時代からありました。
日本で最初のコピーライター ——— 99

27 CDB-07

夜1人で歩いていると……。
のっぺらぼう ——— 100

28 CDB-08

まんじゅうを知っていますか。甘くておいしいお菓子です。それがどうして「怖い」のでしょうか。
まんじゅう怖い ——— 102

※CDB-09　特別収録「まんじゅう怖い」桂扇生

解答例 ——— 106

シラバス ——— 110

奥付 ——— 112

第1部 「日本で暮らす」の構成

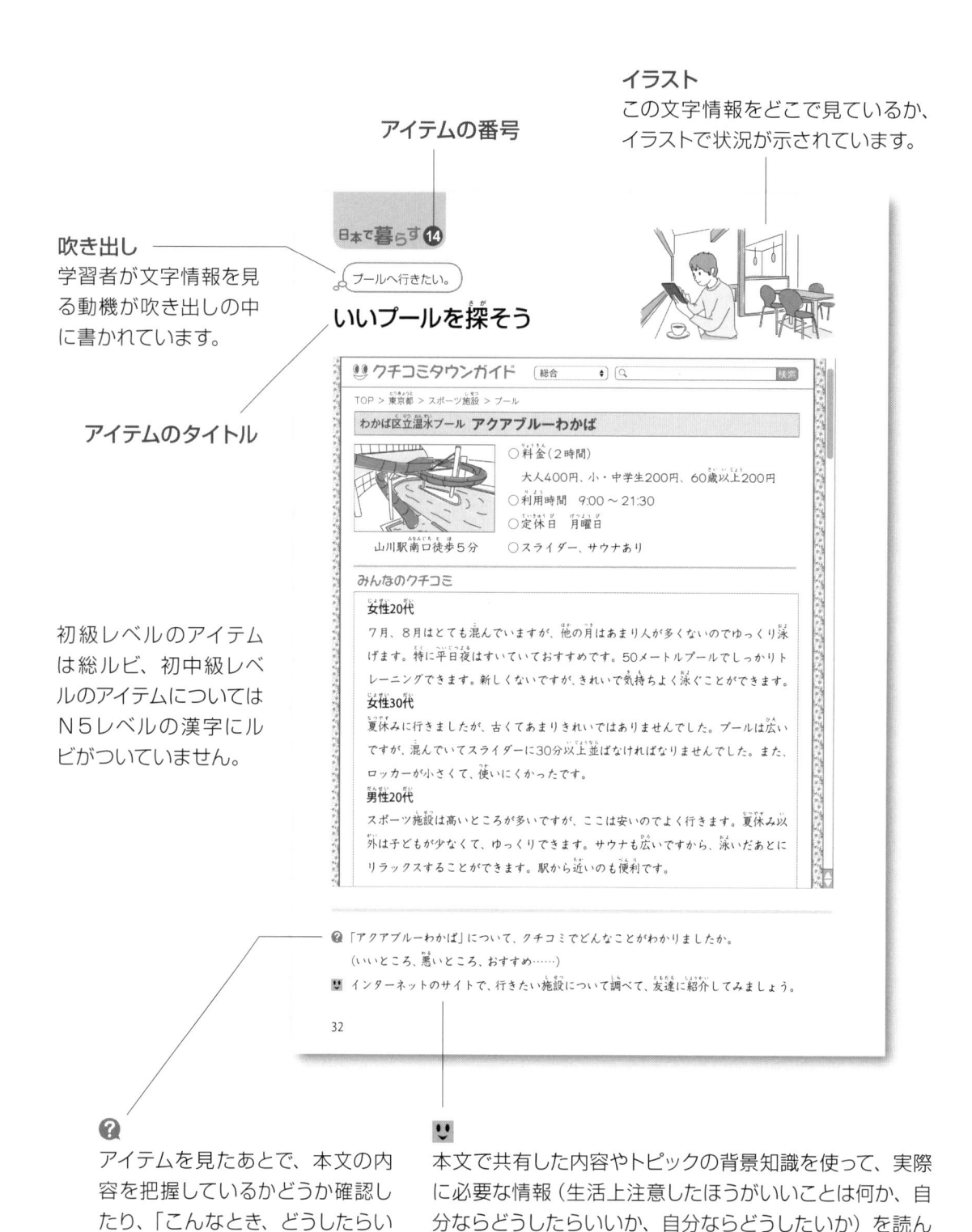

アイテムの番号

イラスト
この文字情報をどこで見ているか、イラストで状況が示されています。

吹き出し
学習者が文字情報を見る動機が吹き出しの中に書かれています。

> プールへ行きたい。

アイテムのタイトル

いいプールを探そう

クチコミタウンガイド
TOP > 東京都 > スポーツ施設 > プール

わかば区立温水プール　アクアブルーわかば

○料金（2時間）
　大人400円、小・中学生200円、60歳以上200円
○利用時間　9:00～21:30
○定休日　月曜日
○スライダー、サウナあり

山川駅南口徒歩5分

みんなのクチコミ

女性20代
7月、8月はとても混んでいますが、他の月はあまり人が多くないのでゆっくり泳げます。特に平日夜はすいていておすすめです。50メートルプールでしっかりトレーニングできます。新しくないですが、きれいで気持ちよく泳ぐことができます。

女性30代
夏休みに行きましたが、古くてあまりきれいではありませんでした。プールは広いですが、混んでいてスライダーに30分以上並ばなければなりませんでした。また、ロッカーが小さくて、使いにくかったです。

男性20代
スポーツ施設は高いところが多いですが、ここは安いのでよく行きます。夏休み以外は子どもが少なくて、ゆっくりできます。サウナも広いですから、泳いだあとにリラックスすることができます。駅から近いのも便利です。

初級レベルのアイテムは総ルビ、初中級レベルのアイテムについてはN5レベルの漢字にルビがついていません。

❓「アクアブルーわかば」について、クチコミでどんなことがわかりましたか。
　（いいところ、悪いところ、おすすめ……）

😊 インターネットのサイトで、行きたい施設について調べて、友達に紹介してみましょう。

32

❓
アイテムを見たあとで、本文の内容を把握しているかどうか確認したり、「こんなとき、どうしたらいいか」を答えたりします。

😊
本文で共有した内容やトピックの背景知識を使って、実際に必要な情報（生活上注意したほうがいいことは何か、自分ならどうしたらいいか、自分ならどうしたいか）を読んでみます。読んだあとで、周りの人と共有します。

「日本で暮らす14」の授業やりとり例

■ ウオームアップ（5分）

教師が学習者に問い掛ける。

T：皆さんは何か運動をしていますか。
L1：いいえ。
L2：したいです。でも、どこでできるかわかりません。
T：じゃ、どうやって探しますか。
L3：（スマートフォンを指して）携帯で探します。
T：そうですか。じゃ、インターネットでプールを探すとき、そこのプールがいいかどうかわかりますか。
L2：わかりません。
L3：あ、でも、大丈夫です。他の人のcomment……。
T：コメント？
L3：はい、コメントを読みますから、いいかよくないか、わかります。
T：皆さんは日本語でコメントを読んだことがありますか。
L2：いいえ。
L3：はい。少し……。
T：そうですか。他の人が書いたコメントを日本語で「口コミ」と言います。
L1：くちこみ……。
T：例えば、皆さんが友達とこの「アクアブルーわかば」に行きたいと思って、クチコミタウンガイドを見たら、プールについてわかります。
L2：ああ。
T：どこを見たらいいか、ちょっと一緒に見ましょう。

■ 情報を見る（15～20分）

少し時間を取って、クチコミタウンガイドを見る。

L2：このプールはいいです。
T：そうですか。どうして？
L2：「ゆっくり泳げます」と書いてあります。
T：そうですね。L2さん、どこに書いてありましたか。
L2：みんなのクチコミです。
L3：でも、30代女性はこのプールがあまりよくないと書いてあります。
T：そうですね。じゃ、ちょっとその口コミを皆さん、見てみましょう。

少し時間を取って、口コミを見たあとで、教師が学習者に問い掛ける。

T：皆さん、どうですか。このプールへ行きたいですか。
L2：はい、サウナがありますから、私は行きたいです。
T：そうですね。
L1：私はあまり……ここのプールはあまりきれいじゃないそうですから。
L3：私は行きたいです。駅から近いですから、便利だと思います。

❓の問いを学習者に向ける。

T：そうですか。じゃ、皆さんはこの口コミを読んで、このプールのいいところはどんなところだとわかりましたか。今の「サウナがあります、駅から近い」の他に……。
L2：平日の夜はすいています。
T：そうですね。
L3：安いです。

以下、口コミを見てわかった悪いところ、おすすめなどを聞いていく。

■ 情報を見たあとで（30分＊）

T：じゃ、今度は皆さんが行きたい施設について、自分でインターネットを使って探してみましょう。どんなところか、どこにあるかなどを調べて、紹介しましょう。

それぞれインターネットを検索する。学習者はサイトを見て、自分がよさそうだと思ったところをピックアップ。ピックアップした情報はシートにまとめて、クラスで共有する。

＊授業時間内の目安です。😊は宿題の形で行う方法もあります。もしくは、授業時間内にインターネットのサイトを全体で見て、自分が行きたい施設を探すことを宿題にし、後日発表という形も考えられます。

第2部 「日本を知る」の構成

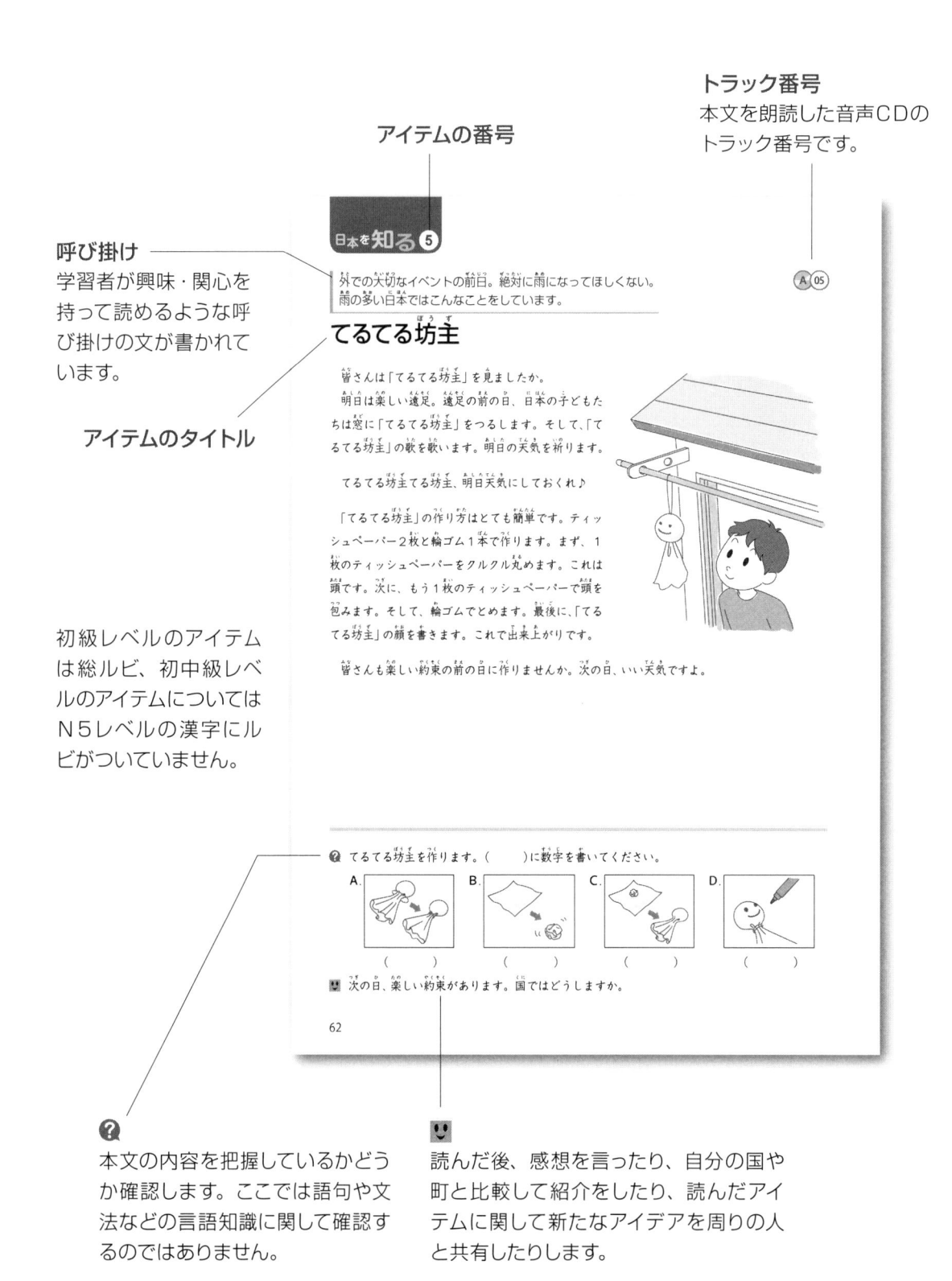

アイテムの番号

トラック番号
本文を朗読した音声CDの
トラック番号です。

呼び掛け
学習者が興味・関心を持って読めるような呼び掛けの文が書かれています。

アイテムのタイトル

初級レベルのアイテムは総ルビ、初中級レベルのアイテムについてはN5レベルの漢字にルビがついていません。

❓
本文の内容を把握しているかどうか確認します。ここでは語句や文法などの言語知識に関して確認するのではありません。

😊
読んだ後、感想を言ったり、自分の国や町と比較して紹介をしたり、読んだアイテムに関して新たなアイデアを周りの人と共有したりします。

「日本を知る 5」の授業やりとり例

■ ウオームアップ（5分）

教師が学習者に問い掛ける。

- T：皆さんは週末、どこかへ行きますか。
- L1：はい、友達とお台場へ行きます。
- L2：いいですね。
- L3：私は友達とBBQをします。
- L1：いいですね。
- T：週末の天気はわかりますか。
- L2：曇り？
- T：雨？
- L3：えーっ。
- T：（てるてる坊主を見せて）皆さん、これは何ですか。

■ アイテムを読む（15〜20分）

各自でアイテムを読む。

- T：皆さん、どうでしたか。
- L1：私も作りたいです。
- T：いいですね。皆さん、一緒に作りましょう。ちょっと、ここを見てください。

❓のタスクをする。

■ 読んだあとで（5〜10分）

😊のタスクをする。

- T：じゃ、皆さん、一緒にてるてる坊主を作りましょう。

気候に合わせた生活の楽しみ方について話す。

- T：皆さんの国にもてるてる坊主がありますか。何をしますか。
- L1：あ、私、見ました。でも、日本語がわかりません。
- T：日本語でてるてる坊主です。
- L1：てるてる……。
- T：てるてる坊主です。日本では雨が多いですから、てるてる坊主に（ジェスチャーをしながら）日曜日、雨になってほしくない、とお願いをします。
- L3：へえ。
- T：今日はこのてるてる坊主の話をちょっと読んでみましょう。

- T：はい、今から皆さんがてるてる坊主を作ります。1番はどれですか。
- L1：これです。
- T：そうですね。ティッシュペーパーを丸めます。

以下、イラストを見ながら、書いてある手順を確認する。

- L1：いいえ。
- T：次の日、楽しい約束があります。（ジェスチャーをしながら）雨になってほしくないとき、何をしますか。

第1部
日本で暮らす

もみじ
秋葉原
鎌倉
ガイドブック
築地
わくわくランド
さくら観光
さくら観光
さくら観光
富士山
NARA
静岡
六本木

日本で暮らす ①

> 何か食べたい。

ハンバーガーショップで注文

店員：いらっしゃいませ、こんにちは。ご注文は？
客：えーっと、エビバーガー1つとコーラをください。
店員：はい。セットはいかがですか。
客：セット？
店員：はい、こちらのメニューをどうぞ。

> いらっしゃいませ、こんにちは。

Wacwac Burger Menu

- ワックバーガー ¥350
- てりやきバーガー ¥320
- エビバーガー ¥320
- ワックダブル ¥420
- チーズバーガー ¥220
- ハンバーガー ¥200
- フィッシュサンド ¥360
- エビ・アボカド ¥380

Set Menu
- サラダセット M¥350 L¥420
- ポテトセット M¥350 L¥420
- オニオンセット M¥350 L¥420

Drink
- Mサイズ ¥200
- Lサイズ ¥280
- コーヒー 紅茶
- カフェラテ ココア
- オレンジ アップル
- コーラ
- ジンジャーエール

> こちらでお召し上がりですか。お持ち帰りですか。

客：じゃ、エビバーガーのサラダセットをお願いします。
店員：ドリンクはMですか。Lですか。
客：Lをください。
店員：はい、少々お待ちください。

❓ いくらですか。＿＿＿＿円

🙂 日本でハンバーガーの店へ行きましたか。国と同じですか。

日本で暮らす ❷

これは何?!
お店で見つけたおもしろい物

1.

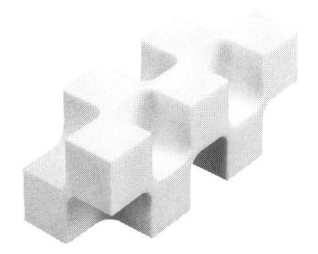

2.

3.

4.

A　これはＣＤプレーヤーです。
19,800円です。
ピアノではありません。

B　これは消しゴムです。
1個157円です。

C　これははえたたきです。
525円です。
テニスのラケットではありません。

D　これはスマートフォンのケースです。
3,000円です。
チョコレートではありません。

❓ これは何ですか。説明しましょう。

1.

2.

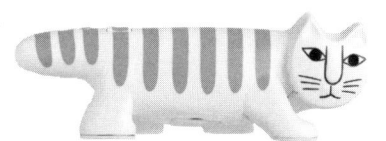

写真提供／
株式会社コクヨ
株式会社マクロス
株式会社ウエストクリーク
株式会社ジャパンメールサービス
株式会社ソリッドアライアンス
株式会社パワーショベル

日本で暮らす ❸

どこへ行く？
遊びに行こう！

とてもにぎやかです。
ゲームやアニメの店が多いです。
電気屋がたくさんあります。

⇒ A

静かなところです。
海がきれいです。
おいしい料理の店があります。
古いお寺がたくさんあります。

⇒ B

にぎやかな町です
若い人が多いです。
かわいい服やアクセサリーの
店がたくさんあります。

⇒ C

大きい魚の市場があります。
朝、とてもにぎやかです。
市場の食堂の食べ物はとても
おいしいです。
そして、安いです。

⇒ D

☞ 次のページの地図を見ましょう。

A 秋葉原
新宿駅 — 秋葉原駅
JR山手線
4分 150円

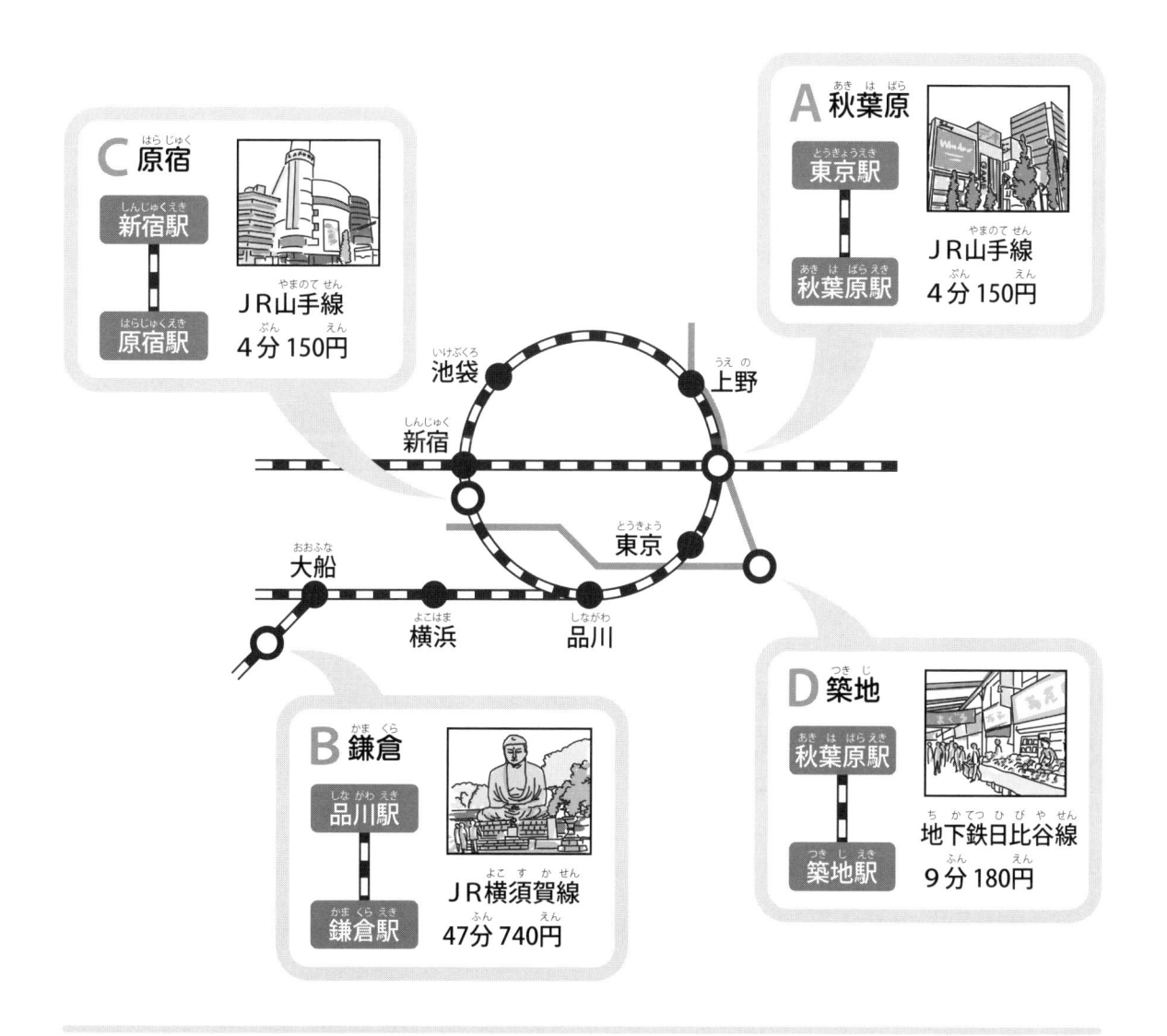

C 原宿
新宿駅 — 原宿駅
JR山手線
4分 150円

B 鎌倉
品川駅 — 鎌倉駅
JR横須賀線
47分 740円

D 築地
秋葉原駅 — 築地駅
地下鉄日比谷線
9分 180円

❓ こんなときは、どこ（A〜D）へ行きますか。
1. 新鮮な安いおすしが食べたいです。（　　）
2. 新しい服がほしいです。（　　）
3. テレビがほしいです。（　　）
4. 静かなところでリラックスしたいです。（　　）

😊 電車の路線図や地図を見ましょう。どこへ行きたいですか。

日本で暮らす ④

東京で人気の街って？

週末に行ってみたい街

人気タウン BEST5

1位 吉祥寺 和食やアジアン、イタリアンなどのいろいろな国のレストランがたくさん！

2位 三軒茶屋 渋谷に近いですが、静かなところ →P.3

3位 下北沢 小劇場やライブハウスが多い →P.4

4位 自由が丘 雑貨やスイーツ、カフェなどおしゃれな店がたくさん！→P.5

5位 高円寺 古着・古本屋がたくさん！*『阿波おどり』も有名！！→P.6

＊徳島がオリジナルです

みんな住みたい 1位 吉祥寺

雑誌やテレビの『住みたい街』ランキングでいつもNo.1です。人が多いですが、緑も多いです。にぎやかなところです。大きい公園や商店街があります。公園の名前は「井の頭恩賜公園」です。カフェや大きい池があります。

桜の木もたくさんありますから、春、お花見の人が多いです。公園の隣に「ジブリ美術館」があります。ぜひトトロと一緒に写真を撮ってください。

商店街はとても長いです。おもしろい店がたくさんあります。「松阪牛専門店さとう」のメンチカツはとても有名です。そして、おいしいです。毎日長い行列です。

吉祥寺 — 14分 — 新宿
       — 17分 — 渋谷

❓ 吉祥寺はどんな街ですか。

😊 「○○な街ランキング」を作って説明しましょう。

日本で暮らす ⑤

友達と一緒に遊びたい！

野球を見に行きましょう

田中さんは携帯電話で友達にメールを送りました。

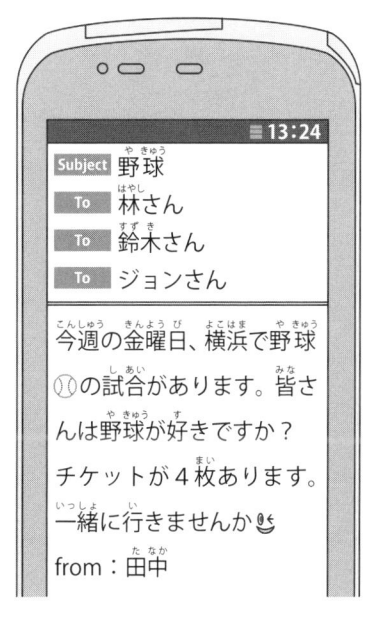

≡ 13:24
Subject 野球
To 林さん
To 鈴木さん
To ジョンさん

今週の金曜日、横浜で野球⚾の試合があります。皆さんは野球が好きですか？チケットが4枚あります。一緒に行きませんか😊
from：田中

3人の友達から返事が来ました。

≡ 14:06
Subject Re：野球
From ジョンさん

ありがとう！　野球大好きです。ぜひ行きたいです⚾金曜日は4時までアルバイトです。野球は何時からですか？

≡ 14:13
Subject Re：野球
From 鈴木さん

金曜日はひまです。何も予定がありません。うれしい！　晩ご飯も一緒に食べませんか。横浜にいい中華料理のレストラン🍴があります。

≡ 15:08
Subject Re：野球
From 林さん

メールありがとう！　残念…金曜日は友達と約束があります(＞＜)また今度、お願いしまーす。

❓ 誰が金曜日に野球を見に行きますか。

😊 携帯で友達にメールを書きましょう。また友達からのメールに返事を書きましょう。

日本で暮らす❻

日本人の友達を作りたい！

イベントのお知らせ

さくら市交流会からのお知らせ

フリーマーケット

6月3日(土)・4日(日)

※雨の日は中止です

時間：10時〜3時
場所：さくら駅前広場

さくら市でいちばん大きいフリーマーケットです。約60の店があります。お好み焼きや綿菓子の店もあります。皆さん、来てください！！

主催：さくら市交流会

料理教室

(毎月第2土曜日　午前10時〜12時30分)

簡単でおいしい料理を一緒に作りましょう。
今月は「卵焼き」と「肉じゃが」を作ります。
参加費：1回500円
　　　　(当日、受付で払ってください)
持ち物：エプロン、メモ、ペン、参加費

＊参加したい人はさくら市交流会へ電話またはe-mailで申し込んでください。

さくら市交流会
Tel:04△-○○○-××××
sakurashi-koryukai@dekiru.or.jp

合気道を習いませんか

毎週月曜日　19時〜20時
費用：1か月500円
場所：わかば体育館

私たちは合気道の練習を5年間しています。
メンバーは15人くらいです。
初めての人も歓迎します。

合気道の会

日本語サロン

毎週水曜日午後1時〜5時

さくら市交流会サロンで日本語で一緒に話しませんか。
お茶もお菓子もあります。
来月(7月)は、やなぎ公園でバーベキューをします。
参加費は無料です。

❓ リンさん、ジミーさん、ガブリエルさんがさくら市交流会のチラシを見ています。
どのイベントがいいですか。

リンさん:
かわいいかばんを買いたいです。
安いかばんがありますか。

ジミーさん:
私は国で休みの日、よくスポーツをしました。
日本で運動をしたいです。

ガブリエルさん:
私は月曜日から金曜日まで会社で仕事をしています。
週末、何か習いたいです。

😊 住んでいる地域のイベントのチラシを見てみましょう。

日本で暮らす ❼

> ケーキの食べ放題に行きたい。

ケーキの食べ放題特集！

Cake Cake Cake Cake cake CAKE Cake Cake Cake

ケーキ天国
やなぎ駅より徒歩1分

月～金 1,480円／土日祝 1,680円（税込）
60分　ドリンク込み
月～日　11:30 ～ 22:00

メニュー　全30種類／ドリンク10種類

パン、果物、サラダも食べ放題です。
ドリンクも飲み放題です。
ドリンクはコーヒー、紅茶、ジュースなど
いろいろあります。

ケーキパラダイス
あさひ駅より徒歩5分

90分 1,300円（税込）
ドリンク別　210円（コーヒー、紅茶、ジュース）
月～金　11:30 ～ 22:00
土日祝　11:00 ～ 22:00

メニュー　全30種類

果物のケーキがとても多いです！
あまり甘くないケーキやサンドイッチもあ
りますから、男の人にも人気です。

さくらホテル ケーキフェア
さくら駅より徒歩2分

時間制限なし 1,050円（税込）ドリンク別
月～金　　11:45 ～ 15:00
土日祝　休み

メニュー　全30種類

アイスクリームもあります。
誕生日の人は100円安いです。
プレゼントもあります。

ケーキナポリ
ふじみ駅より徒歩8分

90分 980円（税込）
月～金 11:30 ～ 16:00／土日祝　休み
ドリンク別
（ウーロン茶・ジュースなど各300円）

メニュー　全40種類

たくさんのピザやパスタなども
食べ放題です。

- ❓ どの食べ放題に行きたいですか。
- 😊 雑誌で食べ放題のページを見てみましょう。
  行きたい食べ放題の店はありますか。

日本で暮らす ⑧

> 夏休み、どこかへ行きたい。

沖縄へ行きたい

沖縄で会いましょう　OKINAWA

| HOME | 観光・グルメ | スポーツ | お土産 | アクセス |

沖縄の観光地No.1「沖縄美ら海水族館」

　この水族館は日本のいちばん南にあります。ここの水槽はとても大きいです。世界でNo.1！　じゃありませんが、世界の中でも大きい水槽です。この大きい水槽で魚を見ませんか。目の前で沖縄の海を見ることができます。

沖縄のおいしい物

　市場へ行きましょう。市場に新鮮な魚がたくさんあります。また、肉屋もあります。沖縄の豚肉はおいしいです！　市場の2階のレストランでランチはどうですか。1階で食べたい魚を買って、2階で食べることができます。市場の人はとても明るくて、親切です。

沖縄の海

　一年中、青い空です。ここで魚と一緒にきれいな海で泳ぎませんか。7月、8月はいろいろな祭りもあります。夜、花火大会があります。

写真提供／海洋博公園 沖縄美ら海水族館

❓ このホームページを見て、パクさんは友達にメールを書きました。
＿＿＿＿に言葉を書いてください。

> ファイル(F) 編集(E) 表示(V) 挿入(I) 書式(O) ツール(T) メッセージ(M) ヘルプ(H)
>
> 宛先
> Cc
> 件名
>
> ナルモンさん、夏休み、一緒に沖縄へ行きませんか。
> 沖縄にとても大きい水族館があります。
> 市場に＿＿＿＿屋や＿＿＿＿＿＿などがあります。
> 沖縄の海はとても＿＿＿＿です。海で＿＿＿＿ましょう。

☺ 日本でどんな観光地へ行ったことがありますか。どんなところへ行きたいですか。

日本で暮らす ⑨

試験のとき、どんな注意がある？

試験の注意書き

試験中の注意

1. 机の上に、筆記用具と受験票を置いてください。それ以外の物は、かばんなどに入れてください。
2. 携帯電話のスイッチを切ってください。
3. 質問があるときは、静かに手を上げてください。
4. 私語禁止。
5. 隣の人の答えを見たり、本や辞書などを見たりしたときは、すぐに退室になります。
6. 試験開始から、45分たったら、教室を出ることができます。一度、教室を出たら、中に入ることができません

❓ 1. 試験官が注意をしました。どうしてですか。

ⓐ　　　　　　　　　　ⓑ　　すみません

2. 試験のとき、携帯電話やスマートフォンの時計を見ることができますか。
3. わからないことがあるとき、辞書を見ることができますか。

☺ 試験のとき、何か困ったことがありましたか。

日本で暮らす ⑩

電車が止まっているのかな？

駅の電光掲示板

【埼京線 運転再開】埼京線…

今、運転していません

【運転見合わせ】京葉線は9時20分ごろより、強風の影響で、上下線で運転を見合わせています。

遅れています

【山手線 遅延】山手線は、原宿〜代々木間での人身事故の影響で、遅れが出ています。

【中央本線 運転再開】中央本線は、上野原駅での線路点検の影響で、上下線で運転を見合わせていましたが、15時52分ごろに運転を再開し、遅れが出ています。

運転がまた始まりましたが、遅れています

❓ リンさん、ジョンさんは電車で行くことができますか。

リンさん:「京葉線で舞浜へ行きたいです」

ジョンさん:「中央本線で相模湖へ行きたいです」

😊 駅へ行って電光掲示板を読んでみましょう。

25

日本で暮らす ⑪

生活に必要なものがほしい。

リサイクル掲示板

さくら市

リサイクル情報

譲ります

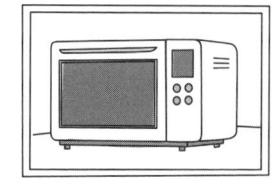

電子レンジ
◎ 1年前に買いましたが、あまり使っていません。少し汚れていますが、他に問題はありません。
◎ 希望価格：2,000円～

譲ります

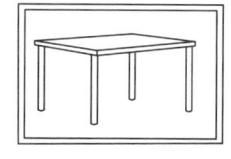

テーブル

◎ 白
◎ 120×150cm 高さ70cm
◎ 無料
◎ 2年使いましたが、きれいです。
◎ さくら市内の人、車で届けます。

「譲ります」「譲ってください」の物がある方は、さくら市役所リサイクル係まで。
電話04△-○○○-○○○○

譲ってください

自転車
◎ できるだけ安くお願いします。
◎ 古くてもいいです。
◎ 取りに行きます。

テニスラケット
◎ 希望価格：1,000円ぐらい
◎ あまり古くないもの
◎ メーカーはどこでもいいです。
これからテニスを始めたいです。お願いします。

❓ いい情報がありますか。

木村さん：私は電子レンジがほしいです。3,000円以下で、あまり古くないものがほしいです。

リンさん：私は1,000円ぐらいのテニスラケットがほしいです。

🙂 何がほしいですか。掲示板に貼るメモを書いてみましょう。

日本で暮らす ⑫

どこ行く？ 何する？
たくさん遊びたい！！

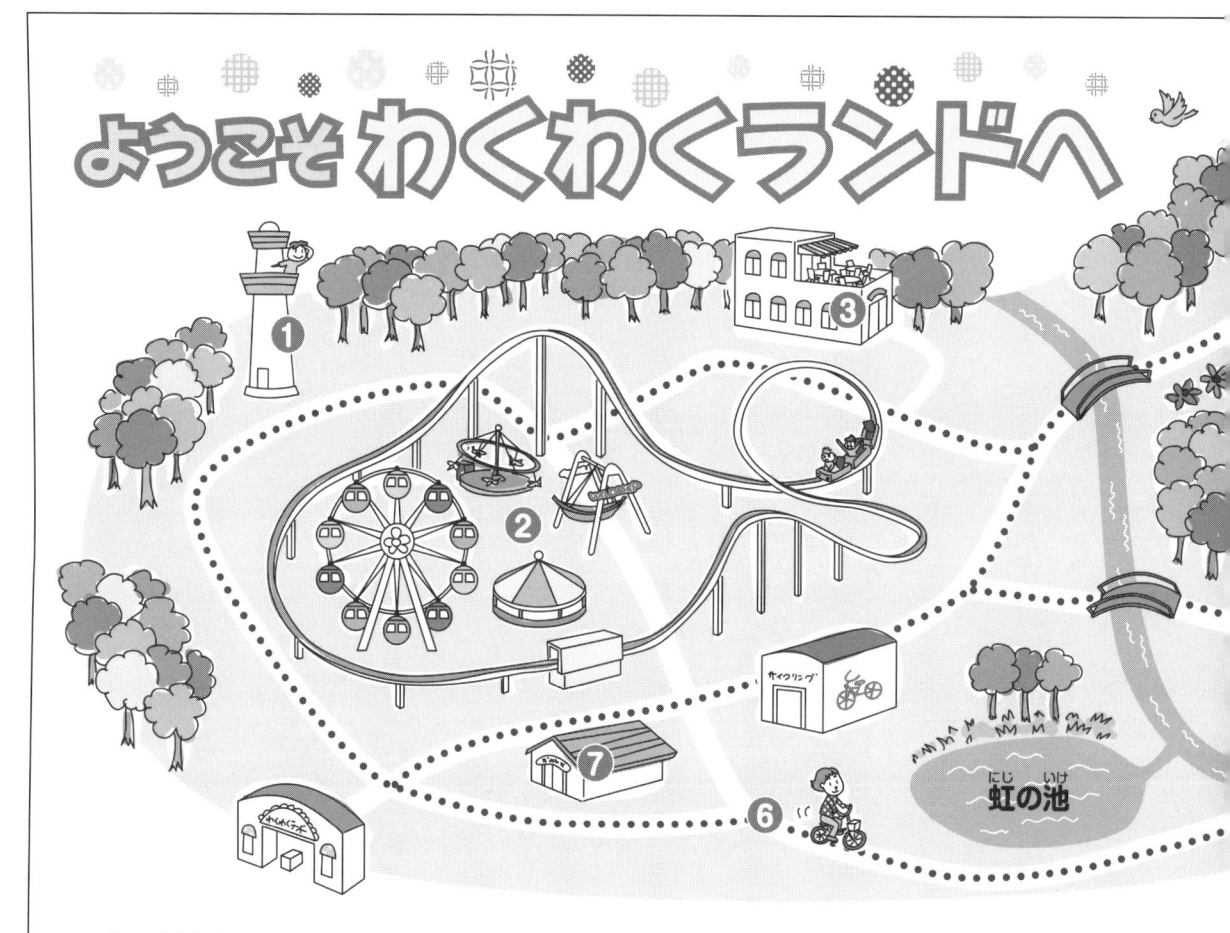

ようこそわくわくランドへ

施設のご案内

❶ 展望台
きれいな景色を見ることができます。春はフラワーガーデンに咲いている花がとてもきれいです！ 晴れた日は富士山が見えます。

❷ 遊園地
大人から子どもまでみんなで遊ぶことができます。いちばん人気がある乗り物は「グリーンジェットコースター」です（6歳以上のお子さんから乗ることができます）。乗り物券はインフォメーションセンター、レストランオレンジ、コーヒーショップで売っています。乗り物券は1枚100円～です。

❸ レストラン オレンジ
世界のいろいろな料理を食べることができます。日曜日は「デザート食べ放題」で好きなケーキ、果物を食べることができます。2階はオープンカフェになっています。

❹ フラワーガーデン
一年中、いろいろな花が咲いています。写真を撮りたい方はぜひここでどうぞ！ 春はチューリップ、秋はコスモスが咲きます。

❺ 温泉
わくわくランドでは温泉に入ることもできます。タオルは有料です(1枚100円)。露天風呂もあります。リラックスしたい方におすすめです。マッサージもあります(10分600円)。

❻ サイクリングコース
大人用、子ども用、カップルや親子で一緒に乗ることができる自転車を用意しています。インフォメーションセンターで受付をしています。

❼ お土産ショップ
ここから荷物を送ることができます。

❓ 皆さんはこのわくわくランドでどこへ行きますか。何をしますか。
😊 皆さんの国に有名な遊園地がありますか。どうして有名ですか。

日本で暮らす ⓭

地震への準備、何をしたらいい？

地震が来る前に

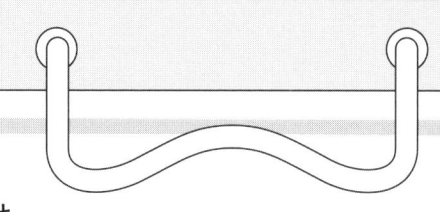

南区からのお知らせ

安全に安心して暮らすために

地震への準備チェックポイント

1. 部屋は安全？

- ☐ 家具・電化製品は倒れませんか。
- ☐ 高いところに、割れる物を置いていませんか。

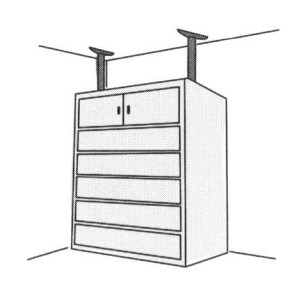

2. うちにある？

- ☐ 3日分の食べ物はありますか。チョコレートやあめも役に立ちます。
- ☐ 3日分の水（1.5Lのペットボトルを6本）はありますか。
- ☐ 懐中電灯はありますか。

3. 連絡できる？

- ☐ アパートの管理人さんや近所の人を知っていますか。
- ☐ 近くの友達にすぐに連絡することができますか。
- ☐ 会社や学校の電話番号を知っていますか。
- ☐ 災害用伝言ダイヤルの使い方がわかりますか。

4. すぐに避難できる？

- ☐ ベッドのそばに靴がありますか。
- ☐ 避難場所を知っていますか。
- ☐ 大切な物をすぐに持って行くことができますか。

　　大切な物…お金、通帳、印鑑、健康保険証、キャッシュカードなど

災害用伝言ダイヤル利用方法

- 録音時間は30秒までです。
- 録音できる数は10個までです。
- 録音は48時間で消えます。
- 携帯、公衆電話、家や店の電話が使えます。

■伝言ダイヤルの練習ができます
毎月1日・15日
1月1日～3日、15日～21日
8月30日～9月5日

■災害伝言板
携帯のメールで使うことができます。使い方は電話会社に聞いてください。

❓ チェックポイントを読んで、チェックしてみましょう。
😊 チェックがないところは、どうしたらいいですか。
みんなで話して、準備の方法を考えましょう。

日本で暮らす⓮

プールへ行きたい。

いいプールを探そう

クチコミタウンガイド　[総合　▼]　[🔍　　　　　　　検索]

TOP > 東京都 > スポーツ施設 > プール

わかば区立温水プール　アクアブルーわかば

○ 料金（2時間）
　　大人400円、小・中学生200円、60歳以上200円
○ 利用時間　9:00～21:30
○ 定休日　月曜日
○ スライダー、サウナあり

山川駅南口徒歩5分

みんなのクチコミ

女性20代
7月、8月はとても混んでいますが、他の月はあまり人が多くないのでゆっくり泳げます。特に平日夜はすいていておすすめです。50メートルプールでしっかりトレーニングできます。新しくないですが、きれいで気持ちよく泳ぐことができます。

女性30代
夏休みに行きましたが、古くてあまりきれいではありませんでした。プールは広いですが、混んでいてスライダーに30分以上並ばなければなりませんでした。また、ロッカーが小さくて、使いにくかったです。

男性20代
スポーツ施設は高いところが多いですが、ここは安いのでよく行きます。夏休み以外は子どもが少なくて、ゆっくりできます。サウナも広いですから、泳いだあとにリラックスすることができます。駅から近いのも便利です。

❓ 「アクアブルーわかば」について、クチコミでどんなことがわかりましたか。
　（いいところ、悪いところ、おすすめ……）

🙂 インターネットのサイトで、行きたい施設について調べて、友達に紹介してみましょう。

日本で暮らす ⑮

日本語でツイッターがしたい！

日本語でつぶやき♪

ホーム	@ つながり	# 見つける	▲ アカウント

A キムシュンカ @gogoymmn　10分前
えーん、すごい大雨。今日、傘持ってない……どうしよう。
開く

B あおぞら日本語学校 @aozora_jis　20分前
台風が近づいています。明日、休校の場合は、朝7時までに担当の先生から連絡網の順番で電話があります。電話がない場合は、授業があります。十分に気をつけて登校してください。
開く

C だるま屋 さくら店 @darmya　1時間前
3周年感謝セール　ドリンク30種類半額キャンペーン中！！！　選べるメニューと飲み放題3時間コース！　デザート付き
開く

D さくらレコード @sakura_record　1時間前
MJ来日記念ポスター販売中！
開く

❓ どれがAのツイートに関係がありますか。(　　)

😊 1. 日本語でツイッターを読んでみましょう。
　2. 今の気持ちを日本語でつぶやいてみましょう。

33

日本で暮らす ⑯

今、人気のバスツアーって？

日帰りバスツアーに行こう！

さくら観光
春の日帰りバスツアー

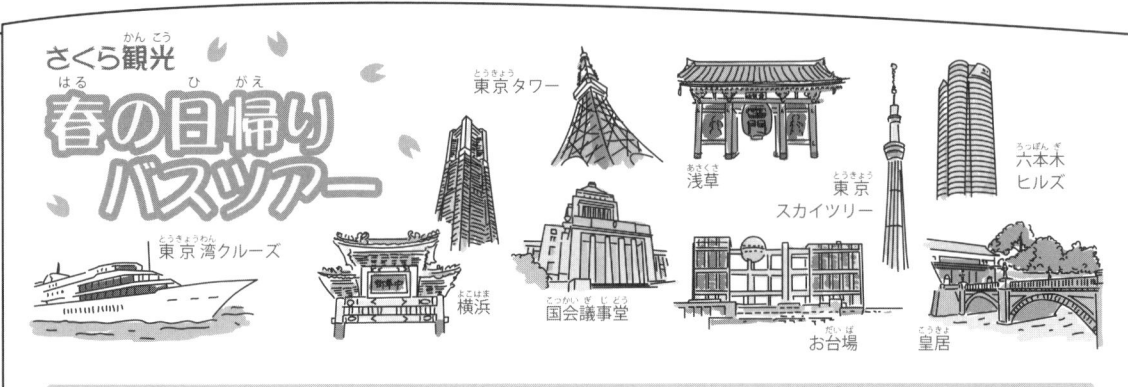

東京湾クルーズ　横浜　国会議事堂　東京タワー　浅草　東京スカイツリー　お台場　皇居　六本木ヒルズ

Aプラン　1日ですべてを回る
ハイライト東京コース

昭和33(1958)年に作られた東京タワーと平成24(2012)年にオープンした東京スカイツリー。東京タワーと東京スカイツリーは形、高さ、色などすべてが違います。このコースでは、今と昔の東京のシンボルタワーを比べることができます。

- 東京タワー(50分)
- 東京スカイツリー(50分)
- 浅草(50分)
- 帝国ホテルで昼食
- お台場
- 東京湾クルーズ(90分)
- 上野、秋葉原(お好きなほうを1つ50分)

ココがPOINT!
1. 二大タワーが1日で見られる
2. 短時間で東京の名所をご案内
3. 浅草ではお土産も買えます！
4. お得なクーポン券をプレゼント！

料　金	運行日	発着地	出　発	終了(予定)
大　人　8,900円 子ども　6,200円	毎日	東京駅	9:00 10:00	17:00 18:00

34

Bプラン 東京の歴史を回る 江戸東京コース

築地のイチオシ!

すし「築地ずし」
魚は築地の市場で買っています。新鮮で魚の種類も多いです。ぜひおいしいおすしを楽しんでください。

築地のイチオシ!

てんぷら「天清」
1946年からやっています。エビや魚は築地の市場から仕入れているので、新鮮です。野菜は地元の野菜を使っています。季節のおいしいてんぷらが楽しめます。

- 皇居(50分)
- 浅草(50分)
- 昼食・築地散策(90分)
- 両国・江戸東京博物館(90分)
- 銀座和菓子作り体験(90分)
- 柴又(60分)

料金	運行日	発着地	出発	終了(予定)
大人 8,700円 子ども 6,000円	平日のみ	東京駅	(東京) 9:00 (品川) 10:00	18:30

❓ 1. 週末に行きたい人はどちらに申し込みますか。
2. 和食が好きな人はどちらに参加したらいいですか。

😊 1. 国の家族が東京へ遊びに来たら、どちらに参加したいですか。
2. 今、バスツアーが人気です。その人気の理由は何だと思いますか。

日本で暮らす ⑰

どんなことが勉強できる？

学校のホームページ

TBS 学校法人
東京ビジネス専門学校

| 学校見学 | アクセス | Q&A | お問い合わせ |

国際人を育てる！　就職率100%の専門学校 ● 東京ビジネス専門学校

オープンキャンパス
＋体験入学

□午前コース・1日コース 10:00〜
□午後コース 13:00〜

7/16(祝)　**8/5**(土)・**6**(日)・**19**(土)・**20**(日)

留学生の皆さん

　学校法人東京ビジネス専門学校(以下TBS)では、世界中からたくさんの留学生が入学してきます。そして、自分の目的に合わせていろいろなことを勉強しています。留学生の皆さんが安心して学校生活を送ることができるように、TBSではさまざまなサポート制度があります。

　日本で仕事がしたいと思うなら、ぜひTBSで！

TBS 3つの特色

その1　高い就職率！

TBSの魅力は、何といっても就職率の高さです。学生1人1人に合った会社を探してアドバイスしたり、面接の練習をしたりします。学生が就職できるまで、しっかりサポートします。また、卒業後も相談をすることができます。

その2　現場を体験できる！

在学中に仕事の現場を体験することができます。学校で学んだことを実際の現場で使ってみるチャンスです。

その3　就職に役に立つ資格が取れる！

TBSでは就職に役に立つ資格が取れるように、サポートしています。将来の目的に合わせて、必要な資格の勉強ができます。TBSには4年制の学科があり、この学科で勉強すると、「高度専門士」という資格がもらえます。

総合経営学科（4年制）

将来、自分で会社を作りたい人、国際的な仕事をしたい人が勉強しています。実習やフィールドワークをたくさんして、"自分の頭で考える経験""行動する経験"ができます。

ショップ経営学科（2年制）

将来、自分のお店を開きたい人にお店を経営するためのノウハウを1から教えます。時代や流行に敏感な人を育てます。

オフィスビジネス学科（2年制）

パソコンスキルやビジネスマナー、社会人に必要なコミュニケーション能力を身に付けるための学科です。他にも英語、情報処理など、いろいろな資格を取ることを目指して学生は勉強しています。

卒業生の声

私がTBSを選んだ理由は何といっても就職率が高いことと、資格試験の合格率が高かったことです。就職活動をするときは先生が親切にアドバイスをしてくれました。私は人と話すのがあまり得意ではなかったので、たくさん練習ができてよかったです。

（林さん・中国出身　東京Iシステム入社）

❓ 将来、雑貨の店を経営したい人はどの学科へ行ったらいいですか。

1. 「この学校のどんなところがいいと思いましたか」と面接で聞かれたら、どう答えますか。
2. どの専門学校に行けば自分のしたい勉強ができるか、探してみましょう。

日本で暮らす⑱

いつもの電車が動かない。どうしよう。

振替輸送

振替輸送のお知らせ

振替輸送…お客さまがご利用の電車が長い時間止まったときに、無料で他の電車をお使いいただくことができます。

ご利用には「乗車券」と「振替乗車券」が必要です。

駅員に乗車券を見せて、「振替乗車券(無料)」をもらってください。

振替乗車券がもらえる乗車券
(行き先や金額が書いてある乗車券)

- 普通乗車券
- 回数乗車券
- 定期券

＋

振替乗車票 → 振替輸送がご利用になれます

【注意!】「振替乗車券」をお使いになるときには、駅員のいる改札口をお通りください。

振替輸送がご利用になれないお客さま
定期券ではないSuicaカード・PASMOカードをご利用のお客さま

---

1. 事故で電車が止まったとき、振替輸送が利用できる人は誰ですか。
   - ジョンさん… 切符を買って電車に乗りました。
   - 田中さん…… 定期券を使って電車に乗りました。
   - マナさん…… 定期券ではないSuicaカードを使って電車に乗りました。
2. 振替乗車券を使う人は、どの改札口を通りますか。

JRや私鉄の駅にある振替輸送のポスターを見てみましょう。
国にも同じようなサービスがありますか。

日本で暮らす ⑲

> 返信をもらったけれど……。どういう意味かな？

飲み会に来る？ 来ない？

日本人の友達に飲み会の連絡をしました。

18:06
Subject 飲み会
To ゆみこ
To けいた

ジョンさんが帰国する前に、飲み会をすることになりました。6月15日（金）、午後9時からです。都合はどうですか。お店を予約したいので、参加できるかどうか12日までに知らせてください。みんな、ぜひ来てね！
マリナ

次のような返信をもらいました。

18:25
Subject Re：飲み会
from ゆみこ

飲み会のお知らせ、ありがとう。実は、今バイトが忙しくて……。急にバイトを辞めちゃった人がいるから、もっと忙しくなりそう。困っちゃうよね！ 帰る時間も遅いんだ。休みの日も疲れちゃって何もできないんだ。また連絡するね。

19:38
Subject Re：飲み会
from けいた

連絡ありがとう。久しぶりにみんなに会いたいな。行くつもりなんだけど、バイトが忙しくて、9時までに終わりそうにないんだ。行く時間、遅くなっちゃうかもしれないけど、いい？ 時間どおりに行けそうなら、また連絡するね。
圭太

❓ 2人は飲み会に来ると思いますか。それはどうしてですか。

😊 あなたなら「参加するとき」「参加しないとき」それぞれ、どのように返信しますか。

日本で暮らす⑳

どれを飲む？
薬の説明書

医療機関：田中医院
医師：田中　誠

調剤日：平成○○年○月○日
処方日：平成○○年○月○日

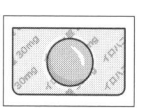

イロハニ錠 30mg
内服　毎食後　3日分

起きたとき	朝	昼	晩	寝る前
	1錠	1錠	1錠	

　これは熱が上がらないようにする薬です。熱が下がってからも、飲み続けてください。また、この薬を飲むと眠くなることがあります。車の運転や危険な仕事をしないようにしてください。この薬は噛んだりつぶしたりしないでください。

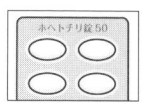

ホヘトチリ錠 50
内服　朝食・夕食後　3日分

起きたとき	朝	昼	晩	寝る前
	1錠		1錠	

　これはアレルギーを治す薬です。せき、くしゃみ、鼻水などの症状を抑えます。この薬を飲むときは水をたくさん飲んでください。この薬は病気を治すものではなくて、病気で起きたいろいろな症状を抑える薬です。症状がないときでも自分で判断しないで、医師に相談してください。

ワカヨタレ錠
内服　朝食・夕食後　3日分

起きたとき	朝	昼	晩	寝る前
	1錠		1錠	

　のどの痛みや炎症を抑える薬です。お酒と一緒に飲まないでください。症状が治まったら飲むのをやめても結構です。また、妊娠している人、その可能性がある人、赤ちゃんに母乳をあげている人は医師に相談してください。

フレンド薬局

❓ 1．この説明書をもらった人は、晩ご飯を食べたあと、どの薬を飲みますか。
　 2．ホヘトチリ錠は、全部で何錠もらいましたか。
　 3．病気が治ったと思っても、飲む薬はどれですか。

😊 薬を飲むとき、どんなことに注意をしますか。

日本で暮らす㉑

> 日本の生活、どんなことに気をつけますか。

鍵をかけよう、声をかけよう

みんなの力で町の安全を守りましょう

さくら町防犯対策課

安全な生活は小さな心がけから。町の安全を守るのは、あなたです！

鍵をかけよう

出かけるときは、短時間でも玄関や窓に鍵をかけましょう。家に止めておくときも自転車には鍵をかけましょう。

ネットをかけよう

ひったくりに遭わないように、自転車のかごに防犯ネットをかけましょう。

反対側にかけよう

ショルダーバッグは、車の通行と反対側の肩にかけましょう。また、かばんも反対側に持つようにしましょう。

声をかけよう

近所の人にあいさつをしましょう。登下校する子どもたちを守ることができます。また、地域のつながりが強くなり、犯罪が起こりにくい町を作ることができます。

❓ 1. 自転車について、どんなことに注意しますか。

2. かばんの持ち方について、どんなことに注意しますか。

3. あいさつにはどんな効果がありますか。

☺ 国ではどんなことに注意していますか。

日本で暮らす ㉒

大雨や火事のとき、日本ではどうしたらいいんだろう。

ポストに入っていたお知らせ

さくら市からのお知らせ
災害から自分を守りましょう

火事にならないように

空気が乾燥する冬は火事が発生しやすいです。

⚠ 家の周りに燃えやすいものを置かない。
⚠ ストーブや電気器具で洗濯物を乾かさない。
⚠ 灰皿に水を入れる。
⚠ 油を使った料理のときには、火から離れない。

火事になったら…

● 大きい声で「火事だ！」と言って、近所の人に知らせましょう。
● 小さな火でも必ず119番に通報しましょう。
● 火が大きくなる前に、水や消火器、座布団などを使って、火を消しましょう。

地震が起きたら

地震はいつ起きるかわかりません。
地震のときには、どうしたらいいか、イメージをしておきましょう。落ち着いて、自分の安全を守ることが大切です。

〈部屋の中にいるとき〉

● 家具やテレビが倒れるかもしれないので、その近くから離れましょう。
● テーブルの下に入りましょう。
● 火事にならないように、ガスの元栓を閉めましょう。

〈外にいるとき〉

● 塀の近くや自動販売機の近くにいないようにしましょう。
● 狭い道にいるときは、広い道に出ましょう。
● 落ちてくる物に気をつけましょう。

大雨が降ったら

最近は短い時間に大量の雨が降る集中豪雨が多くなっています。

⚠ 川の近くに行かないようにする。
⚠ 地下にいる人は地上に上がって、建物の3階以上に逃げる。
⚠ 市からのお知らせがあったら、すぐに避難する。

避難するとき…

● 動きやすい服で、2人以上で避難しましょう。
● 避難する前に、電気のブレーカーやガスの元栓も確認しましょう。

さくら市　防災訓練を行います！

日時：○月△日(土)午後1時～
場所：さくら公園

プログラム：
地震の揺れを体験してみよう
消火器で火を消してみよう

❓ 1. さくら市に住んでいる留学生のつぶやきです。誰と同じ気持ちですか。

- 私の国では火事のとき、999番に電話するけど、日本は何番？
- 私の国には地震がないから、心配。もし、地震があったらどうしたらいいの？
- 雨がたくさん降っても、そんなに大きな問題はないと思う。

エミリーさん　　　アンナさん　　　ジョンさん

2. どうして冬は火事が発生しやすいですか。
3. 大雨のとき、地下1階にいる人はどうしたらいいですか。
4. 地震が起きる前に、どんなことをしておいたらいいですか。

🙂 知りたい情報が書いてあるところを見てみましょう。何と書いてありますか。
住んでいるところの「お知らせ」を見てみましょう。

日本で暮らす㉓

どうしよう？ 困ったなあ。

お悩み解決！

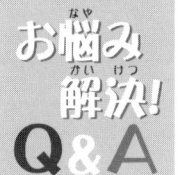

お悩み解決！Q&A

先輩留学生・カクさんの留学生の生活の悩みに答えます！

先輩留学生 カクさん

Q1 部屋を借りたいです。気をつけることは何ですか。

A 敷金・礼金というお金が必要な部屋もあります。敷金は、住んでいた部屋を出るときに部屋を掃除したり、直したりするお金です。礼金は大家さんにお世話になるお礼のお金です。だいたい家賃の1、2か月分ぐらいのお金が必要です。家賃が6万円のとき、最初に20万円ぐらいかかります。気をつけましょう。

Q2 友達は、電車やバスの交通費を節約できるから、自転車を買ったほうがいいと言いました。どこで安い自転車を買うことができますか。

A 自転車屋さんもいいですが、ホームセンターなどの店も見てみましょう。また、インターネットでも安く買うことができます。でも、自転車登録をする必要があるので、自分でするのを忘れないように！

Q3 髪を切りに行きたいです。どんなお店がありますか。

A 男の人が行くところが理容室(床屋)、女の人が行くところが美容室と区別されてきました。でも、最近は男の人も美容室に行くことが多いようです。理容室では、ひげをそってくれます。カットだけなら、2,000円～5,000円ぐらいでしょう。最近では1,000円で、10分ぐらいで終わるお店もあります。

理容室のサイン

Q4 部屋にたくさんカビが生えてしまいました……。どうしたらいいですか。

A よく換気をしましょう。まず、よく掃除してから殺菌します。濡れたぞうきんや乾いたぞうきんで拭くだけではだめです！

---

❷ 1. いちばん役に立った情報はどれですか。
2. 次の悩みがある友達にどの記事を紹介しますか。
   友達「安い店で髪を切りたいです。でも、どんな店がいいかわかりません」
   ⇒Q(　　)

😊 クラスメイトと生活で困っていることとその解決策を話し合いましょう。また、わからないことは一緒に調べてみましょう。

日本で暮らす 24

これはどういう意味だろう？

電車やバスの中で見た注意書き

背中の荷物にご注意！

リュックは手に持つか網棚に

マナーモードに設定の上、通話はご遠慮ください。

止まるまで席を立たないでください

発車まぎわのかけこみ乗車は危険ですので、おやめください。

お願い
オフピーク通勤・通学にご協力ください。

　毎日の通勤・通学にご利用くださいましてありがとうございます。

　みどり駅へ7時50分から8時30分まで到着する電車は大変混雑いたします。この時間帯をさけてご利用ください。

　また、さくら電車でのいちばん混んでいる車両は5号車と8号車です。少しでも空いている車両を選んでご利用くださいますようご協力をお願いします。

さくら電車

1. 友達がⓐ〜ⓒのとき、あなたは友達に何と言いますか。

ⓐ　　　　ⓑ　　　　ⓒ

2. さくら電車では乗る人にどんなお願いをしていますか。

普段、使っている電車やバスにどんな注意書きがありますか。

日本で暮らす㉕

> 出願書類を書くとき注意することは何かな？

入学試験の準備〜出願書類〜

4. 出願手続き

[書類提出上の注意]

■ 書類はすべて日本語または英語で書かれているものを提出してください。日本語、英語以外の言語で書かれている場合は、訳文をつけてください。

■ 提出した出願書類は返却できませんので、ご注意ください。

■ 出願書類は、黒のペンまたはボールペンを使用し、正確に記入してください。

出願書類に不足があるとき、受付できません。

わからない点は事前に問い合わせてください。

(1) 入学試験志願票（本学所定用紙）

12ページからの「注意と記入例」をよく読んで、間違いがないように本人が記入してください。写真は脱帽、正面、背景のない、最近3か月以内に撮影したもの（縦4cm、横3cm）を所定の箇所に貼ってください。

(2) 志望理由書（本学所定用紙）

300字以上500字以内で記入してください。

(3) 最終出身学校の卒業証明書・成績証明書

原本を提出できない場合は、出身学校または大使館など公的機関で証明されたコピー（原本から正しく複製されたものであることを証明されたもの）を提出してください。

（4）パスポートのコピー

氏名、国籍、パスポート番号、発行年月日記載部分をコピーして提出してください。

（5）日本留学試験の受験票または成績証明書のコピー

必ず実際に受験した受験票を提出してください。日本留学試験の受験票の氏名と、提出書類の氏名が同じであることを確認してください。

❓ リンさんはどうしたらいいでしょうか。

> 1. 高校の成績証明書が中国語で書かれています。中国語でも大丈夫かな？
> 2. 青いボールペンしか持っていません。青いボールペンで書いてもいいかな？
> 3. 志望理由書ってどのくらい書くのかな？
> 4. 卒業証明書の原本は1つしかありませんから、提出することができません。どうしたらいいかな？

😊 進学を希望している人は願書を取り寄せてください。どんな準備が必要ですか。
進路に合わせてインターネットや雑誌で情報を調べてみましょう。

日本で暮らす ㉖

💭 今度の休みはどこへ行こうかな？

今度行くならこんなとこ！

有名な観光地へは行ってしまった人、他の人とは違うところへ行ってみたい人におすすめのところを紹介します。今度の休みに行ってみませんか。

秋田
お酒がおいしくて、祭りが多い米作りの町！

東京駅 🚄 秋田駅
約4時間

金沢
古くて新しい町、金沢。
伝統文化を体験するなら城下町、金沢へ！！

羽田空港 ✈ 小松空港 🚌 金沢駅
1時間　　約40分

高松
四国の玄関、高松！ 讃岐うどんや瀬戸内海で取れたピチピチの魚などおいしいものがたくさん。

東京駅 🚄 岡山駅 🚃 高松駅
3時間30分　約1時間

鹿児島
九州でいちばん南にある県。
自然豊かな南の楽園、鹿児島！

羽田空港 ✈ 鹿児島空港 🚌 鹿児島中央駅
1時間50分　約40分

50

秋田

夏の「竿燈まつり」 冬の「かまくら祭り」

秋田県には春夏秋冬、一年中、祭りがあります。特に夏の「竿燈まつり」「大曲花火大会」と冬に開かれる「かまくら祭り」「なまはげ」などは全国でも有名です。

夏、8月3日〜6日に行われる「竿燈まつり」は東北三大祭りの1つで、約260年前からある伝統行事です。秋にたくさんおいしい米ができるように夏に祭りをして祈るのです。

「かまくら」は雪で作った小さな家のようなものです。「かまくら祭り」ではこのかまくらが街の通りにたくさん並びます。かまくらの中でもちを焼いたり甘酒を飲んだりすることができます。ライトアップされた夜のかまくらはとてもきれいです。

白神山地

白神山地は世界最大級のブナの原生林が残っている世界自然遺産です。初級者用の手軽なトレッキングコースから、上級者用の登山コースなどさまざまなコースがあります。ブナの木や季節の花、滝などを見ながら自分のペースで歩きましょう。決められた道を歩くなどルールやマナーを守って自然を楽しんでください。

「ご当地グルメ！」横手やきそば

安くておいしくて地元の人に愛されている料理のことをご当地グルメといいます。秋田の横手やきそばもご当地グルメの一つです。麺は太く、ソースは少し甘いです。焼きそばの上に目玉焼きが載っています。いちばんの特徴は麺がもちもちしていることです。「おいしい」は秋田弁で「んめ」。ぜひ横手やきそばを食べて、「んめ」と言ってみて！

写真提供／白神山地ビジターセンター、横手やきそば暖簾会

金沢

兼六園

日本三大庭園の1つ。17世紀中期に作られました。どの季節に行ってもきれいな景色を見ることができます。春は梅や桜などの花、夏は木々の緑、秋は紅葉、特に冬の雪景色は最高です。園内で抹茶を飲んだり和菓子を食べたりすることもできます。とても広いので、ゆっくり散歩すると1時間以上かかります。

写真提供／兼六園管理事務所

伝統文化体験－クラフト・ツーリズム－

城下町として発展した金沢は、伝統文化が今も生活の中に残っています。文化体験をしながら、観光地を回ることができるツアーがいろいろあります。伝統工芸の作品作りを体験したり、茶室でお茶やお菓子を味わったりします。作家や職人の作品を鑑賞したり、作っているところを見学したり、自分で作ったりすることもできるツアーもあります。

観光ボランティア「まいどさん」

ボランティアガイド「まいどさん」は金沢を観光案内してくれるガイドさんです。現地の人とおしゃべりしながら観光したい人にはおすすめです。申し込みは金沢市観光協会まで！「まいどさん」は金沢弁で「こんにちは」のような意味です。

高松

瀬戸大橋

本州と四国の間に瀬戸内海という海があります。瀬戸大橋は瀬戸内海に架かっている橋です。瀬戸大橋は電車も車も通ることができる珍しい橋です。島と橋の景色はとてもすばらしいです。

写真提供／本州四国連絡高速道路株式会社

讃岐うどん

「讃岐」というのは香川県の昔の名前です。ですから、讃岐うどんというのは香川県のうどんという意味です。讃岐うどんは他のうどんとは全然違います。つるつるしていてとてもおいしいです。今は日本全国で人気があって、日本中に讃岐うどんの店があります。

島めぐり

瀬戸内海には小さい島がたくさんあります。高松から船に乗って、いろいろな島へ行くことができます。おすすめの島は小豆島と直島です。小豆島では海のスポーツを体験したり、キャンプをしたりすることができます。直島は古い町と芸術の両方を楽しむことができるところです。古い町のいろいろなところに芸術作品が飾ってあってとてもおもしろいところです。

鹿児島

桜島

桜島の真ん中にある御岳は火山で、今もしばしば噴火しています。火山ガイドツアーに参加すると、間近で火山を見たり自分で温泉を掘ったりして、大自然を体で感じることができます。

写真提供／桜島ミュージアム

芋焼酎

鹿児島でたくさんの焼酎が作られていますが、中でも芋焼酎が有名です。芋焼酎は鹿児島県の特産品、サツマイモから作られています。昔、鹿児島県は薩摩という名前でした。サツマイモは薩摩で取れる芋なのでサツマイモと呼ばれるようになりました。芋焼酎には鹿児島県産の薩摩黒豚がとてもよく合います。一緒にぜひ黒豚も食べてみてください。

温泉天国

鹿児島は温泉がとても有名です。中でも指宿温泉と霧島温泉はおすすめの温泉です。指宿温泉はお湯に入る温泉ではありません。「砂蒸し温泉」といって、砂の中に入る温泉です。10分くらい入ると汗がたくさん出てきます。霧島温泉は自然の中にある温泉で、ハイキングをしたあとで入ると、とても気持ちがいいです。

❓ どこか行きたいところはありましたか。

☺ ガイドブックやインターネットでいろいろな地方の観光地を見てみましょう。

日本で暮らす 27

これは何に使うの？
便利グッズでもっと楽しく、もっと便利に！

商品1 手を汚さずにポテトチップスが食べられる！
ポテトング

いつも手で食べているお菓子。食べているとき、手が汚れてしまいますね。特にポテトチップスなどのスナック菓子は油で手がベトベトになります。でも、この「ポテトング」があれば大丈夫！ ポテトングは指を汚さないでポテトチップスが食べられるトングです。

ポテトングには工夫がいっぱい。そのいちばんの特徴は持ちやすいところです。普通のトングのように使ってもOK、はしのように持ってもOKという使いやすさで、小さい子どもからお年寄りまで使うことができます。重さも13g。とても軽いので疲れません。

また、このトングの形を見てください。トングは右と左が同じ形が多いですが、ポテトングは違います。この形にするとポテトが割れにくく、また軽い力で挟んで取ることができます。

そして、もう1つの特徴。それはトングを置いても先がテーブルにつかないことです。このちょっとした工夫がとても重要！ とても衛生的で、テーブルなども汚れないで最後まで気持ちよく使用できます。(税込み399円)

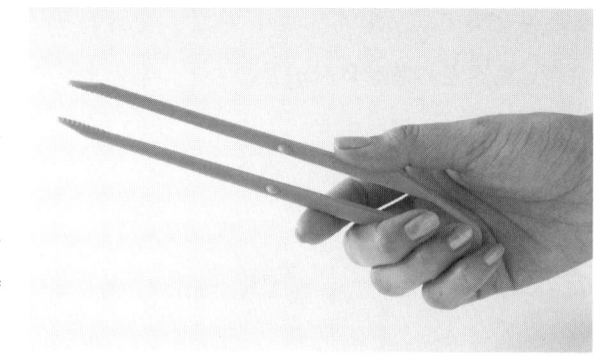

商品2　生卵専用スティック　まぜ卵

　熱いご飯に卵をかけた「卵かけご飯」日本人の大好きな朝ご飯のメニューです。今では、卵かけご飯専用のしょうゆや卵が開発されるなど、卵かけご飯はちょっとしたブームになっています。

　しかし、生卵のドロッとした食感が苦手という人もいます。そんな人のために開発されたのがこの生卵専用スティック「まぜ卵」です。

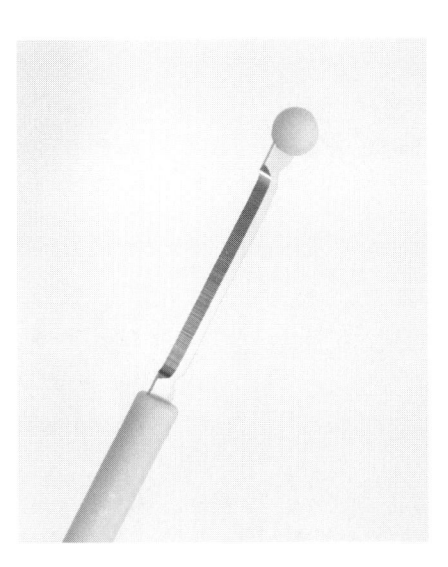

　このスティックを使うと、生卵をとても滑らかに混ぜることができます。秘密はスティックの先についている「刃」です。この刃が生卵の白身を切ってくれるのです。

　もちろん、卵かけご飯だけでなく、卵焼きやオムレツにも便利！

　あなたのご家庭にぜひ！　（税込み378円）

❓ 1.「ポテトング」はどんなときに使いますか。
　2.「まぜ卵」は卵かけご飯の他に、どんな料理に使えますか。

😊 上の2つを見て、「ヒット商品になる条件」を考えてみましょう。

写真提供／川嶋工業株式会社

第2部 日本を知る

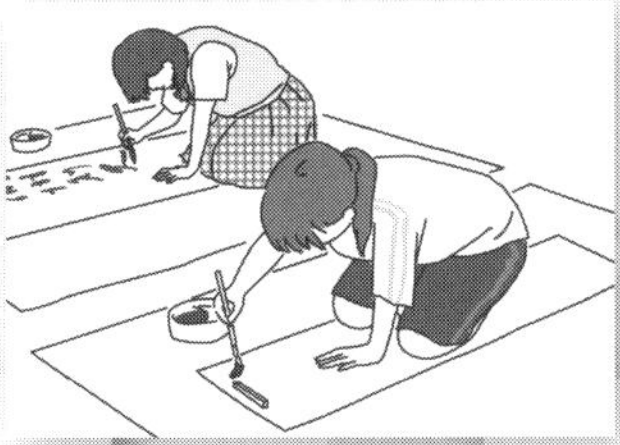
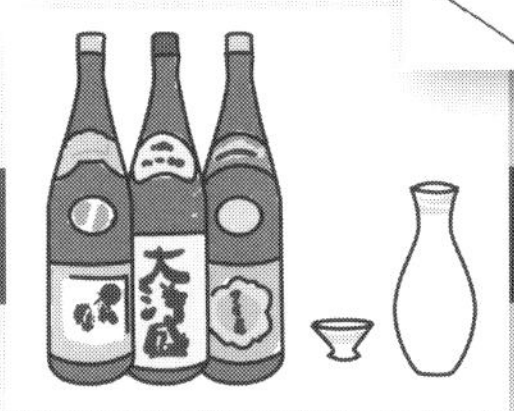
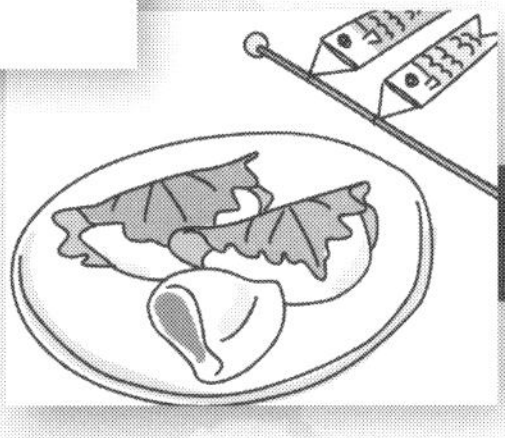
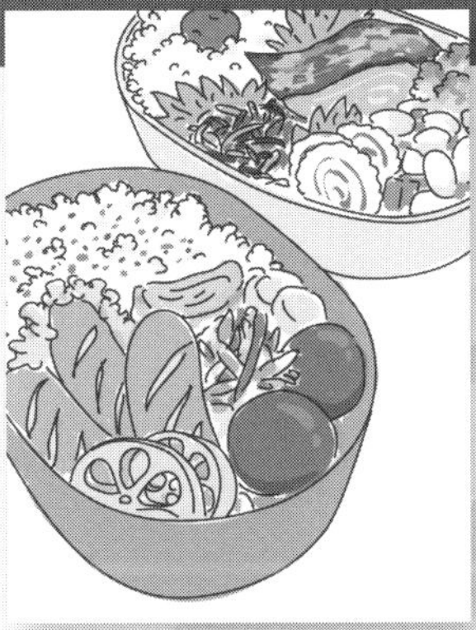
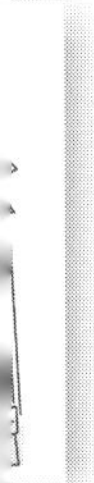
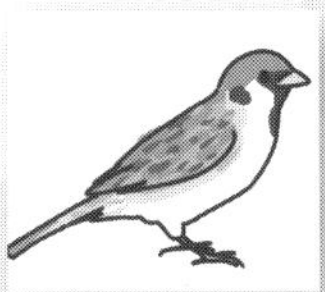
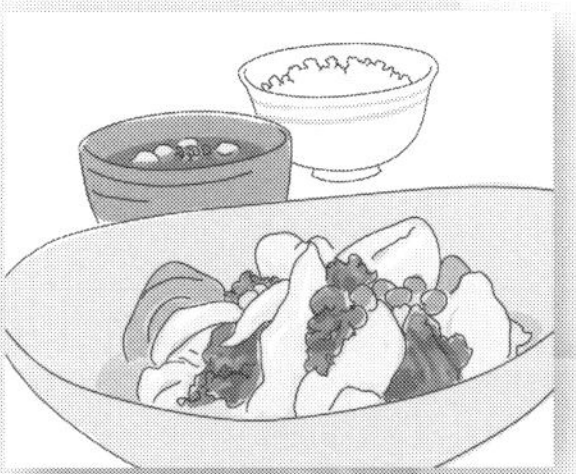
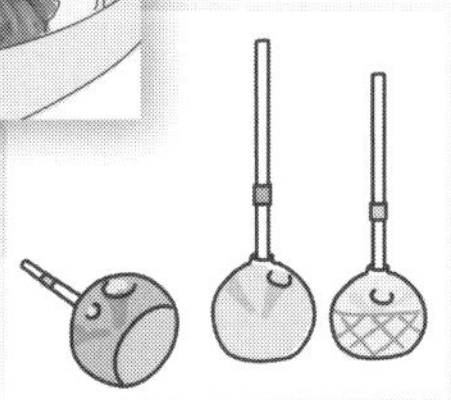
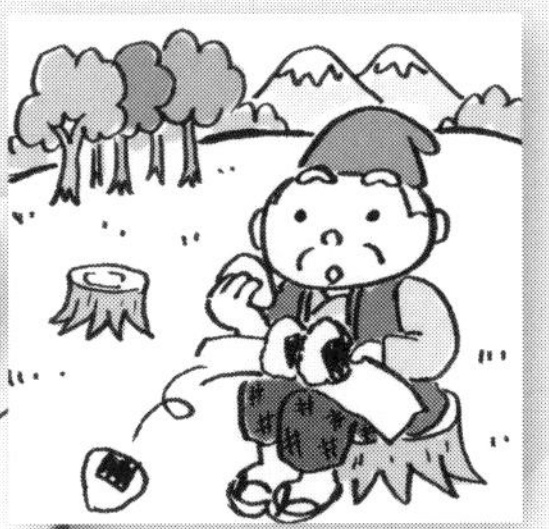
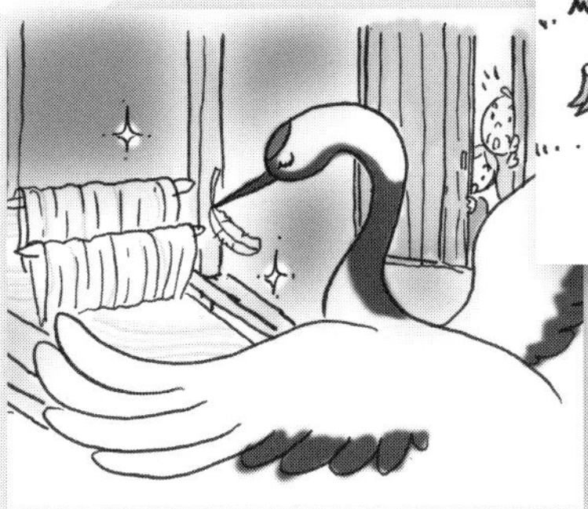
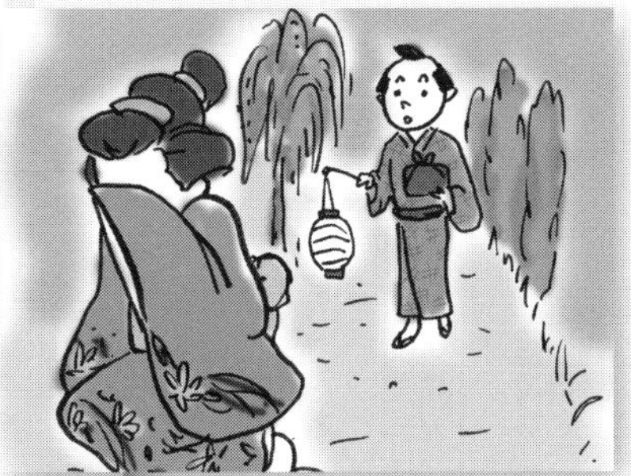
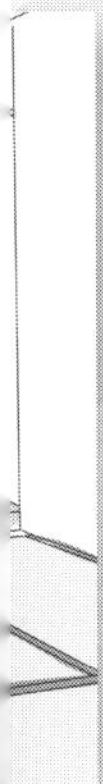
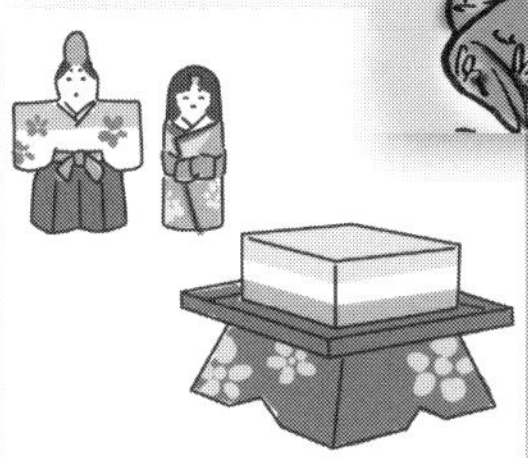
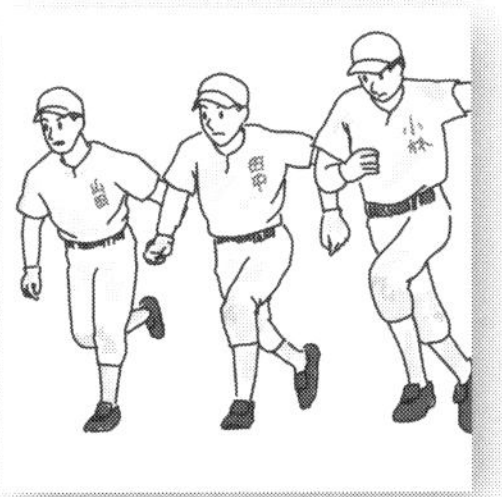

日本を知る ❶

日本語でクイズをしましょう！　　　　　　　　　　　Ⓐ 01

これは何でしょう？

1. 白いです。耳が長いです。目が赤いです。
   答え □ □ □

2. 赤いです。そして、丸いです。甘い果物です。
   答え □ □ □

3. 速いです。そして、便利です。でも、朝、とても人が多いです。大変です。
   答え □ □ □ □

4. 色は白やピンクなどです。とてもきれいです。季節は春です。
   日本の「国の花」です。
   答え □ □ □

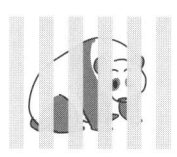

5. 白いです。そして、黒いです。大きいです。
   でも、とてもかわいい動物です。ふるさとは中国です。
   答え □ □ □

☺ 問題を作ってクラスメイトに出してみましょう。

日本を知る ②

富士山の高さを知っていますか。

何の数でしょう？ ～日本の数～

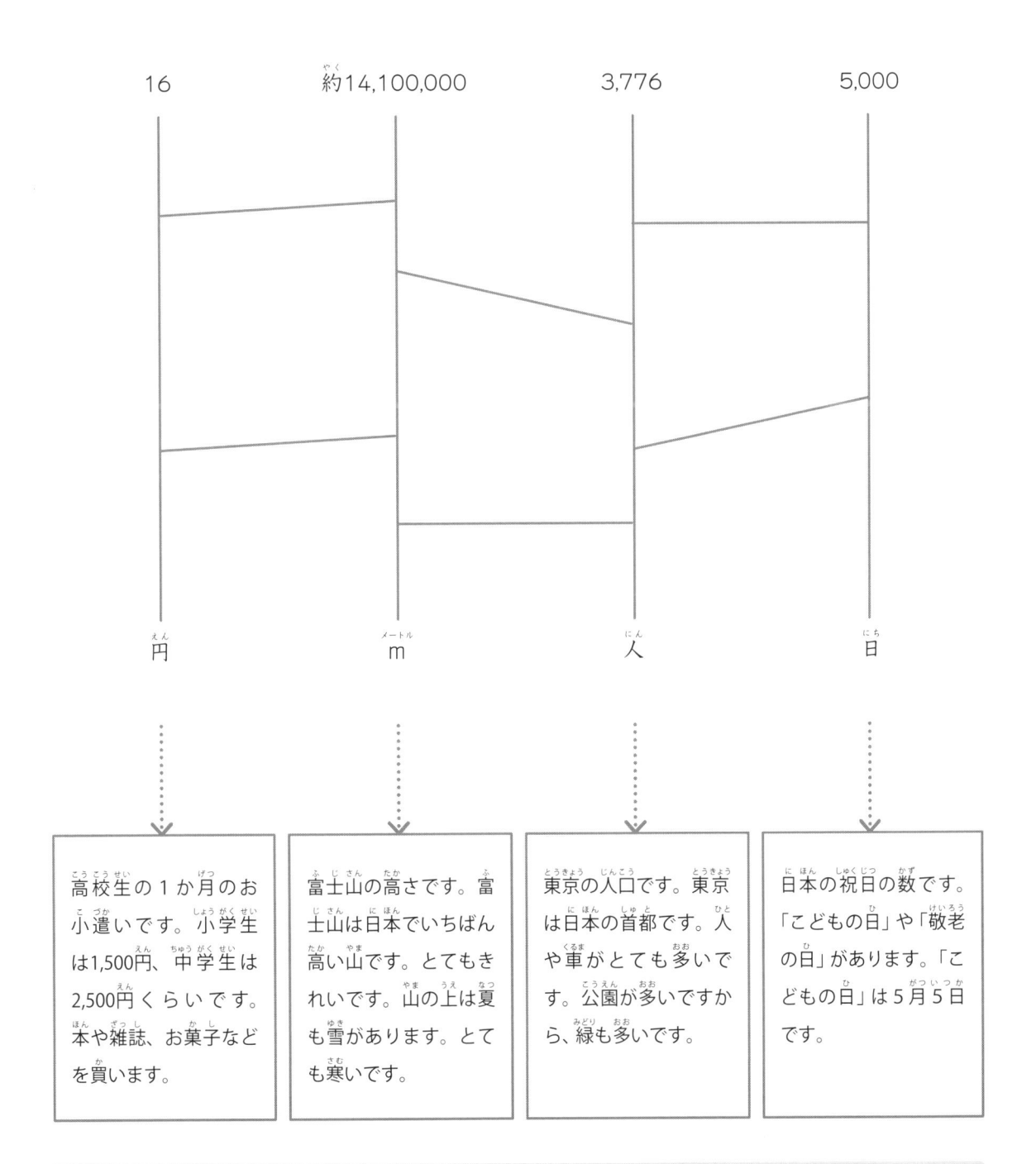

16　　　約14,100,000　　　3,776　　　5,000

円　　　m　　　人　　　日

高校生の1か月のお小遣いです。小学生は1,500円、中学生は2,500円くらいです。本や雑誌、お菓子などを買います。	富士山の高さです。富士山は日本でいちばん高い山です。とてもきれいです。山の上は夏も雪があります。とても寒いです。	東京の人口です。東京は日本の首都です。人や車がとても多いです。公園が多いですから、緑も多いです。	日本の祝日の数です。「こどもの日」や「敬老の日」があります。「こどもの日」は5月5日です。

😊 問題を作ってクラスメイトに出してみましょう。

日本を知る ③

「ワンワン」「ニャーニャー」何の声？　A 03

朝の音

朝、7時です。

「ジリジリジリ……！」時計の音です。

「チュンチュン……」「　A　」鳥の声です。

「　B　」犬の声です。

「ブルンブルン」バイクの音です。

「チリリン、チリリン」自転車の音です。

「　C　」電車の音です。

「ブッブー」自動車の音です。

「　D　」人の声です。

---

1. A～Cは1）～3）のどれですか。

　　1）ワンワン

　　2）カア、カア

　　3）ガタンガタン……ガタンガタン……

2. Dの日本語は何ですか。

皆さんの朝の音は何ですか。シャワーの音？　電子レンジの音？　洗濯機の音？

日本を知る ④

日本の有名な物を紹介します。

日本の名物

日本酒[新潟県]
日本酒は米と水で作ります。新潟県は米の生産量がいちばん多いです。ここの米はとてもおいしいです。新潟県に高い山がたくさんありますから、きれいな水がたくさんあります。

ビードロ[長崎県]
「ビードロ」はポルトガル語でガラスです。昔、中国やヨーロッパからいろいろな物が長崎県へ来ました。ビードロもその1つです。ガラスの笛です。音は「ぺこん、ぺこん」です。

リンゴ[青森県]
青森県のリンゴは有名です。日本で青森県にリンゴの木がいちばん多いです。青森のリンゴは甘いです。そして、とてもおいしいです。

讃岐うどん[香川県]
うどんの原料は小麦と塩です。香川県にはいい小麦と塩がありますから、おいしいうどんがあります。香川県の人は一年中うどんをよく食べます。

❓ これはどこの名物ですか。

1. 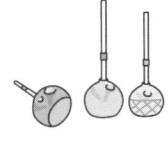　　2. 　　3. 　　4.

A. 青森県　B. 長崎県　C. 香川県　D. 新潟県

😊 国にはどんな有名な物がありますか。

クラスメイトと一緒に「〜の名物紹介」を作りましょう。

日本を知る ⑤

外での大切なイベントの前日。絶対に雨になってほしくない。
雨の多い日本ではこんなことをしています。

てるてる坊主

皆さんは「てるてる坊主」を見ましたか。

明日は楽しい遠足。遠足の前の日、日本の子どもたちは窓に「てるてる坊主」をつるします。そして、「てるてる坊主」の歌を歌います。明日の天気を祈ります。

てるてる坊主てる坊主、明日天気にしておくれ♪

「てるてる坊主」の作り方はとても簡単です。ティッシュペーパー２枚と輪ゴム１本で作ります。まず、１枚のティッシュペーパーをクルクル丸めます。これは頭です。次に、もう１枚のティッシュペーパーで頭を包みます。そして、輪ゴムでとめます。最後に、「てるてる坊主」の顔を書きます。これで出来上がりです。

皆さんも楽しい約束の前の日に作りませんか。次の日、いい天気ですよ。

❓ てるてる坊主を作ります。（　　　）に数字を書いてください。

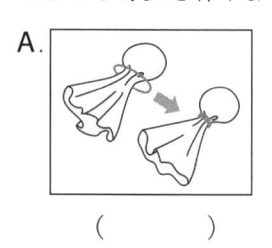

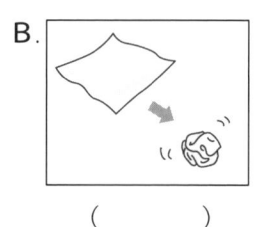

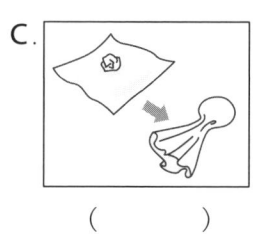

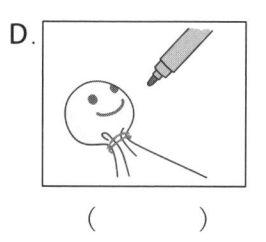

A. （　　） B. （　　） C. （　　） D. （　　）

😊 次の日、楽しい約束があります。国ではどうしますか。

日本を知る❻

おじいさんがねずみにおにぎりをやると……。

おむすびころりん

むかし、むかし、1人のおじいさんがいました。おじいさんは毎日、山へ木を切りに行きました。

ある日、おじいさんは1人で昼ご飯のおにぎりを食べました。

「ああ、おいしいなあ」

そのとき、おにぎりが1つ、下に落ちました。おにぎりはコロコロ転がりました。おじいさんはおにぎりの後ろを走りましたが、おにぎりは穴の中に落ちました。すると、穴の中から

「おむすび、ころりん、すっとんとん」
歌が聞こえました。
おじいさんはもう1つ、おにぎりを入れました。
「おむすび、ころりん、すっとんとん」

また、歌が聞こえました。おじいさんはおもしろかったですから、おにぎりを全部穴に入れました。
　次の日も、おじいさんは山へ行きました。そして、おにぎりを全部穴に入れました。
「おむすび、ころりん、すっとんとん」
また、歌が聞こえました。
　また次の日も、おじいさんはおにぎりを全部穴の中に入れました。
「おむすび、ころりん、すっとんとん」
おじいさんは今度、お弁当箱も穴の中に入れました。
「お弁当箱、ころりん、すっとんとん」
おじいさんはおもしろかったですから、穴の中を見ました。すると、

「あーっ！！！」
「おじいさん、ころりん、すっとんとん」
おじいさんは穴の中に落ちました。そこにはねずみがたくさんいました。ねずみのパーティーでした。大きいねずみが言いました。
「おじいさん、毎日、おいしいおにぎり、ありがとう。今日はここで私たちのパーティーがあります。一緒においしい食べ物を食べましょう」

おじいさんとねずみはたくさん歌いました。そして、たくさん踊りました。

パーティーが終わりました。おじいさんはたくさんお土産をもらいました。それから、家へ帰りました。

❓ おじいさんは何をしましたか。正しい文に○、正しくない文に×を書いてください。
1. おじいさんは山へ昼ご飯を食べに行きました。（　　）
2. おじいさんは山でねずみと一緒におにぎりを食べました。（　　）
3. ねずみは穴の中で歌を歌いました。（　　）
4. おじいさんの家でねずみと一緒にパーティーをしました。（　　）

☺ 1. みんなで声に出して読んでみましょう。
2. 昔話を紹介しましょう。

日本を知る ❼

渋谷駅の前に「ハチ公」がいます。ハチは犬の名前です。
ハチ公はどうして渋谷駅の前にいるのでしょうか。

A 07

ハチ公

　昔、ある大学の先生の家に犬がいました。名前はハチでした。ハチは秋田犬で、体が大きい犬でした。とても頭がよくて、かわいい犬でした。先生はハチをとても大切に育てました。お風呂にも一緒に入りました。先生はハチが大好きでした。ハチも先生がとても好きでした。

　ハチは毎朝、先生と渋谷駅まで一緒に行きました。そして、夕方、迎えに行きました。ハチは時計を全然見ませんでしたが、時間がわかりました。先生はいつも7時ごろ駅に着きますから、ハチはいつも7時に駅へ行って、駅で先生を待っていました。

　ある日、先生は病気で急に死にました。しかし、ハチはわかりませんでした。毎日、毎日、ハチは駅の前で待ち続けました。雨の日も、雪の日も待ちました。ハチは病気になりましたが、ずっと駅の前で先生を待ちました。人々はハチを見て、とても感動しました。そして、人々はハチの銅像を駅の前に作りました。

　今、ハチは渋谷駅の待ち合わせ場所になっています。多くの人が毎日ハチの前で友達や家族など大切な人と待ち合わせをしています。今日もハチは渋谷駅の改札の前に座って、渋谷の人を見つめています。

❓ 1．次の（　　　）の中に言葉を書いてください。

> 大学の先生は（　　　）を飼っていました。その犬はとても（　　　　　　）。
> 犬は毎日先生と一緒に（　　　）へ行きました。そして、先生を（　　　）に行きました。
> ある日、先生は（　　　）で急に死にましたが、ハチは（　　　）で先生を（　　　）。

2．どうして人々は感動しましたか。

😊 皆さんの国で人と一緒に何かをして有名になった動物がいますか。
皆さんが知っている話を紹介してください。

日本を知る ❽

旅行に行ったら、家族や友達にお土産を買って帰りますか。
日本のお土産の始まり、実は……。

お土産の始まり

旅行の楽しみはきれいな風景を見ることやおいしい物を食べることですが、お土産を買うことも楽しみの1つです。

「みやげ」の漢字は「土産」です。でも、昔はこの漢字ではありませんでした。神社のことをお宮ともいいます。神社で買う「みやげ」という板が、今の「おみやげ」の始まりです。昔、神社でお札をもらって、そのお札を板に貼りました。その板が「宮笥」です。「宮笥」は今のお守りと同じでした。「宮笥」は神社で買うことができました。しかし、昔の人は自由に旅行に行くことはできませんでした。「宮笥」がほしい人は、神社へ行く人に「宮笥を買って来てください」とお願いをしました。

神社で有名なところは伊勢神宮でした。遠いところから伊勢神宮に人がたくさん来ましたから、店の人が伊勢の有名な食べ物を売ることを始めました。この店の物も「みやげ」になりました。今はどの観光地にも土産物屋がたくさんあります。お土産にはお菓子や果物、お酒などがあります。

皆さんは国へ帰るとき、どんな物を買って帰りたいですか。

1. 「おみやげ」の漢字は昔と今と同じですか。
2. 昔はみんな旅行することができましたか。
3. 神社へ「宮笥」を買いに行くことができない人はどうしましたか。

皆さんの国にはどんなお土産がありますか。紹介してください。

日本を知る⑨

北海道には有名な動物園があります。どうして有名になったのでしょう？

旭山動物園

日本のいちばん北に有名な動物園があります。「旭山動物園」です。北海道旭川市にあります。

この動物園は1967年にオープンしました。入場者の数は増えましたが、1983年、キツネやゴリラなどの動物がウイルスで死にました。この病気は人々には関係がありませんでしたが、人々は心配になりました。それで、動物園へ行きませんでした。入場者の数はどんどん少なくなって、1年の入場者の数は26万人になりました。

しかし、今では1年に200万～300万人のお客さんがこの動物園へ来ます。こんなに増えた理由は何でしょうか。それは動物園の園長とスタッフがいろいろ工夫したからです。

動物園の動物の見せ方は2つあります。1つは形態展示です。形態展示はお客さんに動物の姿・形を見せることです。日本の動物園では以前、ほとんどが形態展示でした。

旭山動物園の園長とスタッフは動物園の経営の方法を考えました。そして、1997年から新しい動物の見せ方を始めました。それがもう1つの見せ方「行動展示」です。行動展示はお客さんに動物の行動を見せます。

行動展示では、動物はとても元気です。水族館ではアザラシやペンギンがお客さんの前で遊んでいます。動物園では動物が頑張ってえさを取っています。お客さんは動物の元気な姿を見ることができます。

「あっ！　アザラシがこっちを見ている！」
　旭山動物園のアザラシはお客さんの中を上から下へ泳ぎます。
「あっ！　ペンギンが空を飛んでいる！」
　お客さんはペンギンのプールの中にあるトンネルを歩きます。だから、ペンギンはお客さんの上にいます。

　「動物の本当の生活を見てください」。これは旭山動物園からのメッセージです。

写真提供／旭山動物園

❓ 旭山動物園はお客さんを増やすために、どんなことをしましたか。
😀 お客さんを集めるために、他にどんな工夫ができると思いますか。

日本を知る ⑩

日本のお見舞いのマナーを知っていますか。

お見舞い

　ベリオさんは入院中の木村さんにきれいな鉢植えの花をあげました。花を長い時間見ることができますから、いいと思いました。木村さんはベリオさんに花をもらったとき、ちょっとびっくりしました。あとで、他の友達はベリオさんに教えました。
　「ベリオさん、鉢植えの花の『根付く』と、長い間寝ることの『寝付く』は発音が似ていますから、病気の人にはあげないほうがいいですよ」
　「へえ、そうですか」
　「それから、においが強い花や、花が終わってポトンと落ちる花、白や黄色の菊の花もやめたほうがいいです。菊は日本ではお葬式によく使いますから」

　友達のお見舞いに行くとき、あなたは何を持って行きますか。友達が好きな物がいちばんいいですが、好きな物がわからないときは、日本では花やお菓子を持って行くことが多いです。しかし、いちばん大切なことは「お大事に」の気持ちです。

❓ 1. ベリオさんは木村さんにどの花をあげましたか。

A.　　　　　　　B.　　　　　　　C.

2. A〜Cの花の中で、病気の人にあげないほうがいい花はどれですか。

😊 あなたの国ではお見舞いのとき、どんな物を持って行きますか。

70

日本を知る⑪

日本のラーメンはおいしい！ たくさん種類があるって聞いたけど、どんなラーメンがあるのかな？

ご当地ラーメン

- 札幌ラーメン
- 佐野ラーメン
- 東京ラーメン
- 博多ラーメン

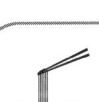

日本にはラーメンが好きな人がたくさんいます。有名なラーメンの店へ行って1～2時間並んで食べる人や、ラーメンについての本を書いている人もいます。テレビ番組では、よく有名なラーメンの店を紹介しています。日本には本当にたくさんの種類のラーメンがあります。どこにどんなラーメンがありますか。紹介します。

寒さが育てたとても濃いスープ
札幌ラーメン（北海道）

みそラーメン！
札幌はとても寒いので、体が暖かくなるオリジナルのラーメンができた。みそラーメンが生まれたところなので、みそ味がおすすめの店が多い。

青竹で作る麺、銘水で作る手作りの味
佐野ラーメン（栃木）

太めの平打ち麺！
青竹を使って作る麺が特徴。佐野は小麦粉の産地なので、麺がおいしい。あっさりしたしょうゆ味のスープ。

ずっと続いている味
東京ラーメン（東京）

シンプルでオーソドックス
浅草から始まった「ラーメン」。
〈東京ラーメン三大ポイント〉
1 しょうゆ味
2 鶏と野菜で作ったスープ
3 麺が縮れている

屋台から生まれた豚骨スープに極細の麺
博多ラーメン（福岡）

最高のバランス　若者に人気
豚骨を強火で煮た白いスープに、細い麺が入ったラーメン。麺をお代わりすることができる「替え玉」というシステムがある。

- どこのラーメンが食べたいですか。
- あなたの国には、日本のラーメンのような、同じ食べ物でも地域によって少しずつ違うものはありますか。それはどのような違いがありますか。

日本を知る ⑫

特別な日に食べる物って、どんな食べ物？

祝日ともち

　日本には、丸いもちや四角いもちやひし形のもちなど、いろいろな形のもちがあります。昔、日本人は、もちを食べると神様の力をもらうことができると考えていました。それで、お祝いの行事のときに、もちをよく食べました。今でも、日本人はお祝いのときによくもちを食べます。

　1月、お正月には雑煮を食べます。雑煮はもちが入ったスープです。東日本の雑煮のもちは四角いですが、西日本の雑煮のもちは丸いです。同じ雑煮ですが、もちの形や味が違います。

　3月3日は女の子のお祭り「ひな祭り」です。ひな祭りには、人形や花と一緒に、ひしもちというひし形のもちを飾ります。

　5月5日は「こどもの日」です。鯉のぼりを飾って、かしわもちという丸いもちを食べます。かしわもちの中には甘いあんこが入っています。柔らかくておいしいです。

　皆さんは日本のもちを食べたことがありますか。どんなときに食べましたか。そのもちはどんな形でしたか。ぜひ、いろいろなもちを食べてみてください。

❓ 何を食べますか。

　1月　お正月　　　　3月　ひな祭り　　　　5月　こどもの日
　（　　　　　　）　（　　　　　　）　（　　　　　　）

😊 皆さんの国にも特別な日の食べ物がありますか。どんな食べ物ですか。

日本を知る⑬

悪いことをしたら、どうなるの？
かちかち山

　むかし、むかし、とても仲のいいおじいさんとおばあさんがいました。おじいさんはまじめで一生懸命に働く人、おばあさんは優しくて料理が上手な人でした。

　ある日、おじいさんが畑で豆をまいていました。そのとき、変な音が聞こえました。
「ガリガリ、ボリボリ」
　おじいさんの後ろで、タヌキが豆を食べていました。そのタヌキは、近くの山に住んでいるとても悪いタヌキでした。おじいさんは「コラー！」と大きい声を出しましたが、タヌキは逃げません。タヌキはおじいさんが畑にまいた豆を全部食べました。おじいさんはとても怒って、タヌキを捕まえてひもで縛りました。

　おじいさんはタヌキを背負って、家へ帰りました。
「おばあさん、おばあさん、悪いタヌキを捕まえましたよ」
　おじいさんは、タヌキを高い木にぶらさげて、また、畑に出かけました。おばあさんは家で晩ご飯を作っていました。
「エーン、エーン」
外から声が聞こえました。タヌキが泣いていました。
「エーン、エーン……、痛い、痛い」
　タヌキは「おばあさん、助けてください。もう悪いことはしませんから」と言いました。おばあさんは、タヌキを木から下ろして、ひもをほどきました。でも、タヌキはおばあさんをたたいて殺しました。おじいさんが家へ帰ってきました。おばあさんが家の中で倒れていました。

「おばあさん！　おばあさん！」

おばあさんは何も言いませんでした。おじいさんは悲しくて、毎日泣いていました。

ある日。

「トントン、トントン」

誰かが家の戸をたたいていました。それは森に住んでいるウサギでした。ウサギは「おじいさん、おじいさん、どうして泣いているのですか」と聞きました。おじいさんは「悪いタヌキがおばあさんを殺しました」と言って、また泣きました。ウサギは「おじいさん、僕はその悪いタヌキを探しに行きます」と言って、出かけました。

ウサギは山でたくさん木の枝を拾いました。それから、「ガリガリ、ボリボリ」と豆を食べました。悪いタヌキは豆が大好きですから、すぐに出てきました。タヌキは「ウサギさん、こんにちは。私にもその豆を少しください」と言いました。ウサギは「この木の枝を全部持って山を下りたら、あげますよ」と答えました。タヌキは「はい、わかりました。私がこれを全部持って行きます」と言って、すぐ、木の枝を持って歩きました。

「カチカチ、カチカチ」

ウサギは火打ち石*をたたきました。タヌキは「ウサギさん、変な音が聞こえます。何の音ですか」と聞きました。ウサギは「あれは、かちかち山のカチカチ鳥の声ですよ」と言いました。ウサギは火打ち石で、木の枝に火をつけました。

「ボウボウ、ボウボウ」

木の枝が燃えています。タヌキは「ウサギさん、変な音が聞こえます。何の音ですか」と聞きました。ウサギは「あれはボウボウ鳥の声ですよ」と言いました。タヌキの背中で、木の枝が燃えています。「熱い！　熱い！」タヌキは走って山へ帰りました。タヌキは背中にひどいやけどをしました。

ある日、ウサギが森で木の舟を作っていました。そのとき、また、あの悪いタヌキが来ました。「ウサギさん、何を作っているんですか」とタヌキが聞きました。「木の舟です。舟に乗って、川で魚を釣るんです」とウサギは答えました。タヌキは魚が食べたいと思いました。そして、「ウサギさん、私の舟も作ってください」と言いました。「タヌキさんは僕よりも大きいから、土で大きい舟を作りましょう」とウサギは答えました。そして、大きい土の舟を作りました。タヌキとウサギは川へ魚を釣りに行きました。

ウサギは木の舟、タヌキは土の舟に乗りました。しかし、土の舟はすぐに川の中に沈みました。タヌキも舟と一緒に川の底に沈んで行きました。

＊火打ち石

1. タヌキはどんなことをしましたか。
2. おじいさんの話を聞いて、ウサギはどんなことをしましたか。
3. ウサギとタヌキが川へ釣りに行ったとき、タヌキはどうなりましたか。

この話を読んで、どう思いましたか。みんなで話しましょう。

日本を知る⑭

世界一古いSF小説は日本にあった……。

竹取物語

むかし、むかし、あるところにおじいさんとおばあさんがいました。

ある日、おじいさんは山へ竹を取りに行きました。竹やぶの中に、光っている竹が1本ありました。おじいさんはその竹を切って、中を見ました。中に、小さくて、とてもかわいい女の子がいました。おじいさんはびっくりしました。そして、女の子を家へ連れて帰りました。

おじいさんとおばあさんは、その女の子を「かぐや姫」と呼んで、大切に育てました。3人は毎日、一緒にご飯を食べたり、山へ行ったりして、とても楽しく暮らしました。3か月後、かぐや姫はとてもきれいな娘になりました。

ある日、5人の男の人がおじいさんの家へ来ました。

「私はかぐや姫と結婚したいです」

しかし、かぐや姫は誰とも結婚したくなかったですから、男の人たちにとても難しいことを言いました。

「世界で珍しい物を私に持って来てください」

5人は一生懸命探しました。しかし、珍しい物は、どこにもありませんでした。

ある日の夜、おじいさんとおばあさんはかぐや姫の泣き声を聞きました。おじいさんとおばあさんはとても心配しました。
「かぐや姫、どうしましたか」
「私は月へ帰ります」
「月？」
「はい、私の家は月にあります」
　かぐや姫は月で生まれたお姫様でした。おじいさんとおばあさんはとても驚きました。

　かぐや姫は次の日の夜、月へ帰らなければなりませんでした。おじいさんとおばあさんはかぐや姫と別れたくなかったですから、とても悲しかったです。
　夜、月から大きな牛車が下りてきました。
「おじいさん、おばあさん、長い間、ありがとうございました。私は月へ帰ります。さようなら」
　かぐや姫は迎えに来た牛車に乗って、月へ帰りました。

1. おじいさんが山へ行ったとき、何を見つけましたか。
2. かぐや姫はどうして夜、泣いていましたか。

かぐや姫はどうして月から下りてきたと思いますか。自由にお話を考えましょう。

日本を知る ⑮

日本人の名前にはどういう意味があるのでしょうか。

日本人の名字

日本人の友達が何人いますか。その人たちの名前はどんな名前ですか。

日本人の名字は数がとても多いです。とても多くて、いくつあるか、はっきりわかりません。その数は、十数万ある、30万ある、などといわれています。その中でいちばん多い名字は「佐藤」です。日本人の60人に1人が佐藤さんです。皆さんの周りにも、もしかしたら佐藤さんがいるかもしれません。2位は「鈴木」です。メジャーリーグのイチロー選手の名字も鈴木さんです。

多くの名字は地名や地形、風景と関係があります。住んでいる場所や、山や川など住んでいる場所の風景から作られていることが多いです。「田中」や「山田」は米を作る田んぼと関係がある名字です。「山口」は山の出入り口という意味です。この他にも「川」「池」「森」「浜」など地形が由来の漢字がたくさん使われています。また、方位や職業が由来になっている名字もあります。

「四月一日」、「一」、「月見里」など、おもしろい名字もたくさんあります。どういう意味だと思いますか。

❓ (　　　)に言葉を書いてください。

1. (　　　　)は、日本でいちばん多い名字です。
2. イチロー選手の名字は(　　　　)さんです。
3. 日本人の名字は(　　　　)、(　　　　)、(　　　　)などが由来になっています。

😊 1位から10位までの中に友達の名前がありますか。

日本人の名字トップテン

1位	佐藤	6位	伊藤
2位	鈴木	7位	山本
3位	高橋	8位	中村
4位	田中	9位	小林
5位	渡辺・渡邊	10位	加藤

森岡浩著『なんでもわかる日本の名字』朝日文庫

日本を知る ⑯

中学生や高校生のとき、勉強以外に
何か夢中になっていたことがありますか。

部活！ 部活！ 部活！

　日本の学校では、「部活動(部活)」がとても盛んです。「〜部」といって、中学校や高校の授業の前やあとにいろいろな活動をしています。

　部活は体育系と文化系に分かれます。体育系はサッカー、陸上、体操、ワンダーフォーゲル(登山)部などがあります。最近では、男子の新体操部やシンクロナイズドスイミング部がある高校もあります。さらに、部活には日本の伝統的なスポーツもあります。柔道をはじめ、剣道や弓道、相撲などです。文化系には、茶道などの伝統的なものから、天文部、軽音楽部、落語研究会など、本当にいろいろな部活があります。

部活の練習は、朝早くから始まり、夜遅くまで続きます。休み時間も廊下や校庭で練習する生徒がいます。夏休みなどの長い休みには合宿をして、24時間一緒に過ごし、チームワークを養います。教えるのは学校の先生ですが、先生がいないときは、先輩が後輩を指導することがあります。

　部活にはさまざまな分野で全国大会があって、そこに出場することは中学生や高校生の憧れです。体育系の部活だけではなく、ブラスバンド部やかるた部、書道部なども全国大会があります。生徒たちは全国大会で優勝することを目指して、毎日、練習しています。

　部活の中で、特に野球は人気があり、野球をしている高校生はみんな全国大会に出るために、早朝から夜遅くまで練習をしています。

　野球の全国大会は甲子園であります。甲子園は兵庫県にある有名な野球場の名前です。毎年、春と夏、各都道府県から代表の高校が参加し、日本一を目指して約1か月間、試合を行います。

最後に1つおもしろい部活動を紹介しましょう。それは「応援団」です。スポーツの試合などでお客さんを盛り上げて、一緒に応援をします。応援は「フレー、フレー」のあとに、高校の名前や人の名前を言います。では、一緒に応援をしてみましょう。

「フレー！　フレー！　西高！」
「フレーエ、フレーエ、ケンジ！」
押忍！

「押忍」はもともと剣道や柔道をする人の間でのあいさつでしたが、応援団が応援するときにも使うことがあります。それでは、皆さんさようなら！　押忍！

❓ 日本の学校のどんな部活に興味を持ちましたか。それはどうしてですか。
😊 あなたが勉強以外に夢中になったことは何ですか。クラスメイトと話してみましょう。

日本を知る ⑰

日本の料理には、すし、てんぷら以外にもいろいろあります。
日本の家庭でよく作る料理を知っていますか。

おふくろの味って何？

　日本語に「おふくろの味」という言葉があります。「おふくろ」はよく男の人が自分のお母さんを呼ぶときに使う言い方です。他の言葉でいうと、「お母さんの味」。これは「子どものときによく家で食べた料理の味、懐かしくて何度でも食べたいと思う料理の味」という意味です。

　ここに、ある食品関係の会社が日本人の20代から60代の人1,000人に「あなたの『おふくろの味』は何ですか」と聞いたアンケートの結果があります。

　いちばん多かった答えは男性が「みそ汁」、女性が「煮物」でした。おふくろの味ベスト3に入っている料理は、みそ汁、煮物、肉じゃがで、男性も女性も同じです。

あなたの「おふくろの味」は何ですか

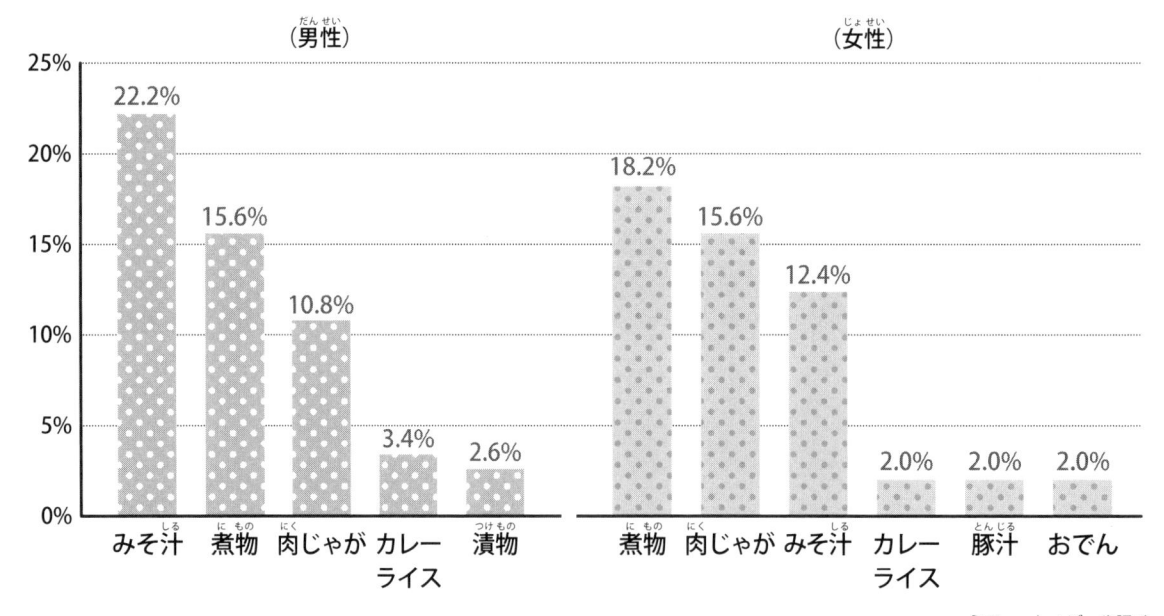

（男性）
- みそ汁: 22.2%
- 煮物: 15.6%
- 肉じゃが: 10.8%
- カレーライス: 3.4%
- 漬物: 2.6%

（女性）
- 煮物: 18.2%
- 肉じゃが: 15.6%
- みそ汁: 12.4%
- カレーライス: 2.0%
- 豚汁: 2.0%
- おでん: 2.0%

らでぃっしゅぼーや調べ

　ベスト3に入っている「肉じゃが」は、実は昔から日本にあった料理ではありませんでした。1870年代にイギリスに留学をした日本人が、イギリスで食べたビーフシチューと同じような料理を食べたいといって、できた料理だそうです。そのころ、日本にはワインなどがなかったので、イギリスと同じビーフシチューを作ることはできませんでした。コックさんはキッチンにあるしょうゆや砂糖を使って、この新しい料理を作りました。それが今の肉じゃがの始まりです。

肉じゃがが「おふくろの味」になったのは1970年代からです。その少し前から、日本では成人病が問題になっていました。ファストフード店がたくさんできるようになって、健康について考える人が増えました。もう一度、家での食事を考える中で、肉じゃがは簡単に作れるし、栄養もあるので、人気のあるメニューになりました。

　「みそ汁」「煮物」「肉じゃが」。ご飯と合う、栄養がある、心も暖かくなる。そんな理由で人々が何度でも食べたいと思えるようになったのかもしれません。

1. 「おふくろの味」は何ですか。
2. 日本人が「おふくろの味」だと思う料理のベスト3は何ですか。

皆さんの「おふくろの味」がありますか。どんな料理ですか。何かエピソードがあったら、一緒に紹介してください。

日本を知る⑱

畳、押し入れなど和室にはどんな工夫があるでしょうか。

和室の工夫

日本人の家へ行ったことがありますか。皆さんの国の家と違うところに気がつきましたか。高温多湿で四季がある日本の家には季節を快適に過ごすための工夫がたくさんあります。また、日本の家はあまり大きくないですから、部屋もあまり広くないです。広くない部屋を上手に広く使う工夫がいろいろあります。どんな工夫があるか見てみましょう。

押し入れ
押し入れは日本のクローゼットです。すぐに使わない物や布団などを入れておくところです。物がたくさん入るので、とても便利です。

床の間
床の間は床から少し高くなっています。ここに季節の花や掛け軸を飾ります。季節を目や鼻で楽しんだり、来てくれるお客さまを気持ちよく迎えたりするための大切なところです。

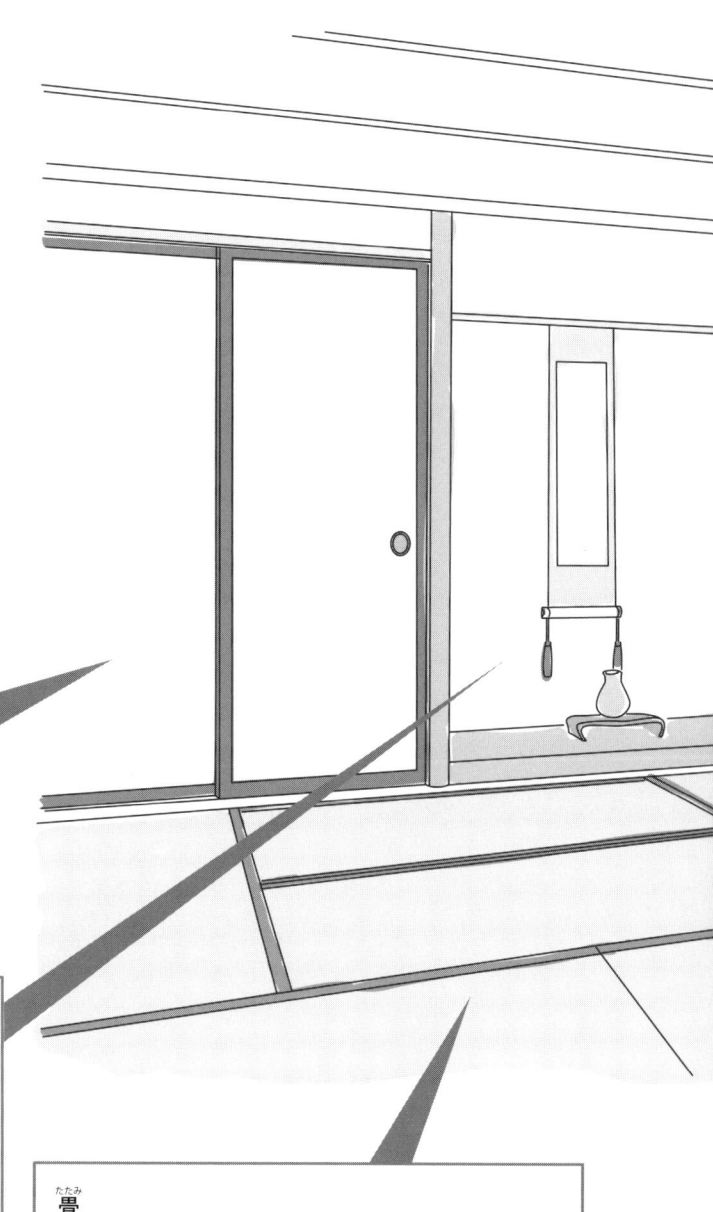

畳
畳は「い草」という植物から作られています。床の上に敷いてあります。ここに直接布団を敷くことができますから、とても便利です。植物から作られているので、においもとてもいいです。

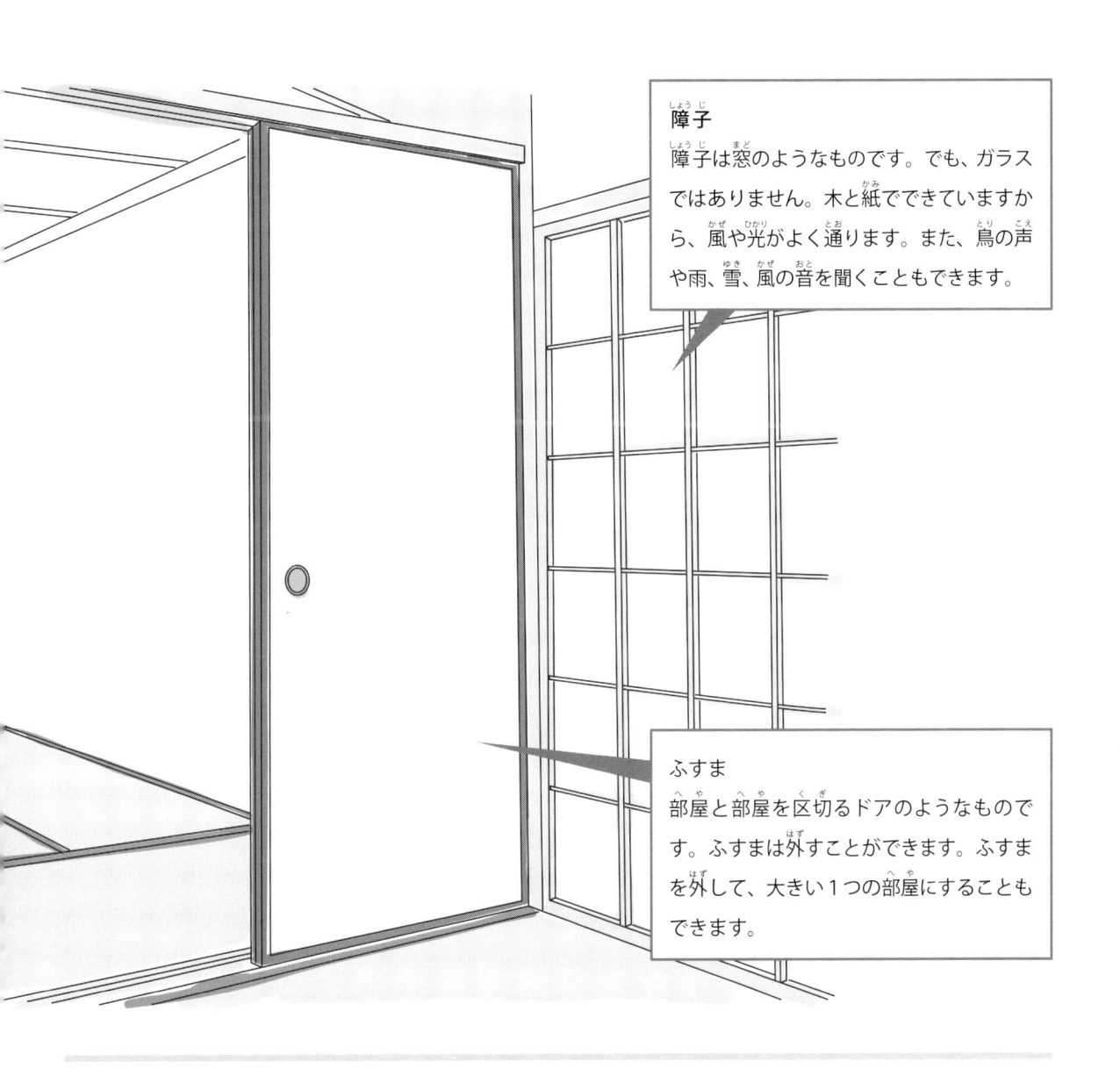

障子
障子は窓のようなものです。でも、ガラスではありません。木と紙でできていますから、風や光がよく通ります。また、鳥の声や雨、雪、風の音を聞くこともできます。

ふすま
部屋と部屋を区切るドアのようなものです。ふすまは外すことができます。ふすまを外して、大きい1つの部屋にすることもできます。

1. 押し入れは何を入れておくところですか。
2. 床の間に何を飾りますか。
3. 障子は何でできていますか。
4. ふすまはドアのようなものですが、ドアと何が違いますか。

皆さんの国の家(部屋)はどうなっていますか。特徴を教えてください。

日本を知る ⑲

昼ご飯、皆さんは何を食べますか。
日本で一般的な「お弁当」を紹介します。

お弁当

　皆さんは、公園や遊園地に遊びに行ったときや、学校の昼休みなど、ご飯をどこで食べますか。レストランやファストフードの店で食べることもできますが、日本では箱に１食分の食べ物を入れた「お弁当」を持って行くことも多いです。

　幼稚園へ行く子ども、学生、会社で働く人が持って行くお弁当は、うちで作ることが多いです。弁当箱にご飯といろいろなおかずを入れます。おかずは、いろいろな物を少しずつ、色や栄養のバランスを考えて、入れることが多いです。

　ふたを開けたときこんなかわいい絵があると、うれしくなりますね。食べ物で動物、漫画やアニメなどのキャラクターを作ったお弁当を「キャラ弁」といいます。キャラ弁を作るのに便利な野菜やソーセージを切るカッターや、かわいい形に切ったのりなども売られています。キャラ弁を作るのが趣味の人もいます。

　お弁当は、コンビニで買うこともできます。300円～700円ぐらいでいろいろな種類があります。最近は健康に気をつけている人がたくさんいますから、カロリーや栄養について書いてあるものも多いです。お金を払うときに、レジの人が電子レンジで温めてくれます。

　デパートや専門店で売っている高級なお弁当もあります。コンビニのお弁当よ

り高くて、3,000円〜5,000円ぐらいのものもあります。お花見や、親戚が集まる行事、特別なイベントなどのときにはこのような高級なお弁当を買うこともあります。

　駅や長距離列車の中では、「駅弁」を売っています。各地の名産や有名な料理が入っていて、弁当箱がおもしろいデザインのものもあります。旅行のとき、列車の中で駅弁を食べるのは楽しみの1つです。旅行に行かなくても、デパートなどで日本各地のお弁当を売るイベントが開かれることもあり、人気があるお弁当はすぐ売り切れます。

　皆さんもお弁当を持って出かけてみませんか。

❓ 次の言葉を説明してください。
1. キャラ弁
2. 駅弁

😊 1. 国にもお弁当がありますか。どんなものを入れますか。
2. 国の料理でお弁当を作るなら、どんなお弁当ができますか。

日本を知る ⑳

「部屋の中は絶対に見ないでください」。でもそう言われると、見たくなる……。もし、見てしまったら？

鶴の恩返し

　むかし、むかし、あるところに、おじいさんとおばあさんが住んでいました。おじいさんとおばあさんはとても貧乏でしたが、毎日まじめに働いて、仲良く暮らしていました。

　ある寒い雪の日。おじいさんはまきを背負って町へ売りに行きました。しばらく歩いていると、バタバタという音が聞こえました。「何だろう？」。おじいさんは音がするほうへ行ってみました。それは、1羽の鶴でした。鶴は、わなにかかって動けませんでした。「かわいそうに。すぐに助けるよ」。おじいさんは鶴をわなから外して、助けました。鶴は喜んで、「コーウ、コーウ」と鳴きながら空を飛んで行きました。

　その夜、おじいさんとおばあさんが家でお茶を飲んでいると、トントンと戸をたたく音がしました。
「こんばんは、こんばんは」
「こんな遅い時間に誰だろう」
　おじいさんとおばあさんは戸を開けました。戸の前には真っ白い着物を着た女の子が立っていました。

「道に迷ってしまったんです。雪が降って寒くて困っています。今夜一晩泊めてもらえませんか」
「それは大変だ。寒いから、どうぞ早く中に入ってください」
「ありがとうございます」
　おじいさんとおばあさんは女の子に温かい食べ物をあげました。その夜はとても寒かったので、おじいさんとおばあさんは女の子に布団を全部貸して、自分たちはわらの中で寝ました。
　次の朝、おじいさんとおばあさんが起きると、朝ご飯の準備ができていました。部屋の掃除もしてありました。

「おはようございます、おじいさん、おばあさん。昨日はありがとうございました。お礼に朝ご飯を作っておきました」

おじいさんとおばあさんはとても幸せな気持ちになりました。

次の日も、その次の日も雪でした。女の子は家族が誰もいなかったので、おじいさんとおばあさんの子どもになりました。女の子は毎日おじいさんとおばあさんの手伝いをしました。おじいさんとおばあさんは毎日がとても楽しくなりました。

12月の終わりになりました。もうすぐお正月ですが、おじいさんとおばあさんはお金がありませんから、準備ができません。おもちを買うこともできません。女の子が言いました。

「私はこれから機織りをします。でも、その間、私を見ないでください。絶対に戸を開けないでください。約束ですよ」

おじいさんとおばあさんは、理由がわかりませんでしたが、「見ない」と約束しました。女の子は、隣の部屋に入って戸を閉めました。

ちん、からから、とんとん。ちん、からから、とんとん。

機織りの音が聞こえました。

3日後、女の子が戸を開けて部屋から出てきました。白くて美しい布を持っていました。女の子は言いました。

「おじいさん、これを町へ持って行って、売ってください」

おじいさんは町へ行きました。すると、たくさんの人がその美しい白い布を買いたいと言いました。そして、布はとても高い値段で売れました。おじいさんはびっくりしました。おじいさんはそのお金でおもちを買って、家へ帰りました。おじいさんとおばあさんは、おもちを食べて、いいお正月を過ごすことができました。

お正月が終わって、女の子はまた言いました。

「私はこれからまた機織りをします。その間、私を見ないでください。絶対に戸を開けないでください。約束ですよ」

ちん、からから、とんとん。ちん、からから、とんとん。

3日後、女の子はまた美しい布を持って部屋から出てきました。その布もまた町で高く売れました。

女の子はまた戸を閉めて機織りを始めました。おじいさんとおばあさんは、いつも女の子が「見ないでください」と言うのはどうしてか知りたくなりました。

「ちょっと戸を開けて……」

「だめですよ。約束しましたから」

「でも、少しだけ……」

おじいさんとおばあさんは、とうとう戸を開けてしまいました。「あっ！」。部屋の中で機織りをしていたのは、白い鶴でした。鶴が、自分の羽を取って布を織っていたのです。おじいさんとおばあさんはびっくりして、急いで戸を閉めました。

しばらくして、女の子が布を持って部屋から出てきました。そして、その布をおじいさんとおばあさんに渡して、言いました。
「私はおじいさんに助けてもらった鶴です。お礼をするために、今まで人間の姿になっていました。でも、おじいさんとおばあさんが本当の姿を見てしまいましたから、もうここにいることはできません」
　女の子は、あっという間に鶴の姿に戻りました。そして、「コーウ、コーウ」と鳴いて、空を飛んで行きました。

❓ 話の順番に絵を並べましょう。

（　　　）→（　　　）→（　　　）→（　　　）→（　　　）

A.　　　　　B.　　　　　C.

D.　　　　　E.

😊 1. 鶴はなぜ帰ってしまったと思いますか。

　2. あなたの国にも似たような話がありますか。

91

日本を知る㉑

あなたにとって日本の有名人とは誰ですか。
みんなが知っている「あの人」を紹介します。

明るくて、ハートの優しい女の子

あなたにとって日本でいちばん有名な人は誰ですか。あなたの国で、いちばん有名な日本人や日本の物は何でしょうか。

```
?        誕生日：11月1日
         住んでいる所：イギリス、ロンドン
         家族：父、母、双子の妹
         趣味：クッキー作り
         好きな食べ物：お母さんの作ったアップルパイ
```

これは誰でしょう。答えがわかった人は日本のキャラクターが大好きな人かもしれません。身長はリンゴ5個分、体重はリンゴ3個分……。

答えは……「ハローキティ」です。

今では世界中で人気のこのキャラクターは、サンリオという会社が1974年に作り出したものです。3代目のキャラクターデザイナー山口裕子さんがサンリオで最も人気のあるキャラクターに成長させました。ハローキティには口が描かれていません。これは「見ている人と感情を共有できるように」という思いからだそうです。

ハローキティの人気の秘密の1つは「さまざまなものに変身できる」ところです。海外にもハローキティを使った多くのキャラクターグッズがありますが、現地のデザイナーがその地域に合ったデザインをすることができるそうです。日本でも文房具から家電までいろいろな物がキティのデザインになっています。例えば、日本全国の観光地には「ご当地キティ（地域限定キティ）」と呼ばれるハローキティグッズが売られています。

山口さんはハローキティを「時代の変化と一緒に変わっていける」キャラクターにしています。キティが登場した当時は、女の子の色といえば「赤」でした。しかし、女の子たちにピンクが人気だと知って、背景がピンク色のキティをデザインしました。また、子どもだけではなく、大人の女性にも使ってもらえるように、白と黒の色を使ったり、有名なブランドと一緒に商品を開発したりと、決して古くならない、その時代に合った新しいキティをデザインしているそうです。

写真素材提供／株式会社サンリオ ©1976, 2012 SANRIO CO., LTD.

❓ ハローキティが人気がある理由の1つは何ですか。
🙂 下の写真のようなキャラクターグッズについてどう思いますか。
　あなたの国にはどんなものがありますか。

日本を知る㉒

江戸時代(えどじだい)って聞いたことがありますか。この時代(じだい)の人々(ひとびと)は……。

「傍(=自分の周りにいる人)を楽にする」働き

「そんなこと朝飯前(あさめしまえ)だよ」。「朝飯前(あさめしまえ)」は「朝飯(あさめし)」=「朝ご飯(あさごはん)」を食べる前にできる簡単なことという意味です。ですから、「そんなこと朝飯前だよ」は「それはとても簡単だよ」という意味です。しかし、江戸時代の人の「朝飯前」は意味が少し違いました。「朝飯前」というのは朝ご飯の前に働くことでした。

江戸の人は朝ご飯を食べる前に、近所の一人暮らしのお年寄りや母子家庭、父子家庭の家へ行って、手伝いをすることが毎日の習慣でした。

朝ご飯を食べたら、生活のために働いて、お金を稼ぎます。午後からは、人のため、町のために、「はた(傍=自分の周りにいる人)を楽にする」働き、今のボランティアをしました。

夏は夕方、みんなで一斉に打ち水をして、明日も元気に働くための準備をしました。江戸時代の人のリフレッシュの時間だったのです。

よく働きよく遊び、ストレスをためないというのが江戸の暮らし方だったようです。しかも、人の評価は午後の「傍を楽にする」働きの多い少ないで決まったそうです。地位や財産ではなく、自分以外の人や世間のために働くことに人間の価値をみる。「自己中」という言葉は江戸にはなかったのでしょうね。

越川禮子著『江戸しぐさ』(朝日新聞社)

❓ 1.「朝飯前」とはどういう意味ですか。
　 2. 江戸時代の人は朝ご飯の前に何をしましたか。

😊 1. 皆さんの国では、近所の人と一緒にどんなことをしますか。
　 2. 現代の日本人の働き方は江戸時代に比べてどうだと思いますか。

日本を知る ㉓

東京は大都市、人や物が集まってきます。では、地方の町は？

地方を元気に！

　今、東京にはいろいろな会社や国の施設がたくさんあります。そこで働くために、人が多く集まり、その人たちの生活のために多くの物も集まってきます。

　では、地方はどうでしょうか。昔は東京以外の地方にも多くの人が住んで、生活をしていました。会社の支店やお店もたくさんありました。その地方の祭りや、伝統的な産業があって、とてもにぎやかでした。しかし、今は会社や国の施設が東京に集まってしまったために、地方では仕事が減って生活が大変になってきました。多くの若い人たちが東京で仕事をするために町を出ていくので、最近、地方は人口も減って、寂しくなったといわれています。でも、いろいろ工夫して、地方を元気にしようとしている人たちがいます。その人たちはどんなことをしているのでしょうか。

　それは地方の伝統的な産業をもっと有名にして、たくさんの人に町へ来てもらおうという活動です。「ご当地ブランド」「ご当地グルメ」という言葉も生まれました。「ご当地」というのは、「その地方独特の」という意味です。ふるさとを元気にしたいという気持ちのある若い人たちによって、いろいろな活動が行われています。

　九州の大分県の湯布院という町では、その町で作られている野菜や肉を使った料理を旅館やホテルで出すことにしました。すると、以前よりもずっと多くの観光客が来るようになりました。埼玉県の川越という町では、江戸時代の町の様子を大切に残しています。それを宣伝したら、とても有名になって、海外から来る人たちも増えました。福井県には若者にユニークなアイデアを出してもらい、その活動を応援するプロジェクトがあります。18歳から35歳の若者たちが地方の活性化計画を発表して、入賞すると、福井県から活動のためのお金がもらえるそうです。

　このような活動には時間もお金もかかりますが、地方の町を元気にしたいと思う人たちはどんどん増えています。

❓　地方を元気にする活動では、どんなことが行われていますか。

😊　1．あなたの国の首都と地方では、どんな違いがありますか。
　　 2．あなたの国で地方の町をもっとにぎやかにするなら、どんなことができると思いますか。

日本を知る㉔

日本にあるいろいろな町の名前には、どんな意味があるのでしょうか。

日本の地名〜六本木には木が6本?〜

　六本木、新宿、銀座……東京にあるいろいろな町の名前は、どのようにしてできたか、どういう意味があるのか、知っていますか。

　まず、日本の首都、「東京」はどういう意味でしょう。「東京」という地名は、1869年に、江戸が首都になったときにつけられました。その前の日本の中心は京都でした。「東京」は、京都から見て東の京(首都)という意味です。

　東京にはおもしろい地名がいろいろあります。例えば、六本木という町の名前は、昔、この場所に松の木が6本あったからだといわれています。また、青木、一柳、上杉、片桐、朽木、高木という6人の大名の家があったからだともいわれています。

　人の名前からついた地名は、他にもあります。永田町は、江戸時代に永田という人の家がたくさんあったところです。

　また、日本には「宿」という言葉がつく地名が多いです。新宿、原宿、三宿などいろいろあります。宿は、旅の途中で泊まるホテルのことです。昔は車や電車などがなかったので、遠くまで出かけるのは大変でした。途中で宿屋に泊まりました。大きい道には、宿屋が集まっている場所がありました。原宿も新宿も、そのような場所でした。

　銀座という町を知っていますか。たくさんの高級な店やデパートがあって、にぎやかなところです。「座」という言葉は、江戸時代、お金を作る役所という意味がありました。江戸時代には、「銀座」の他にも「金座」「銭座」というところもありました。その中で、「銀座」だけが、店がたくさんあるにぎやかな町になって、今でも地名として残りました。

　東京以外にも、銀座という名前の町がたくさんあります。日本中に、200以上あるともいわれています。このうち、本当に江戸時代の銀座役所があったのは、京都伏見の銀座と東京の銀座だけです。よく、銀座ではないところに、「○○銀座」という名前の商店街があります。例えば、東京都品川区には戸越銀座というところがあります。これは、銀座のようににぎやかな商店街になってほしい、お客さんにたくさん来てほしい、という願いでつけられた名前だといわれています。

　その他にも、おもしろい地名はいろいろあります。あなたの知っている町の名前はどういう意味なのか、ぜひ調べてみてください。

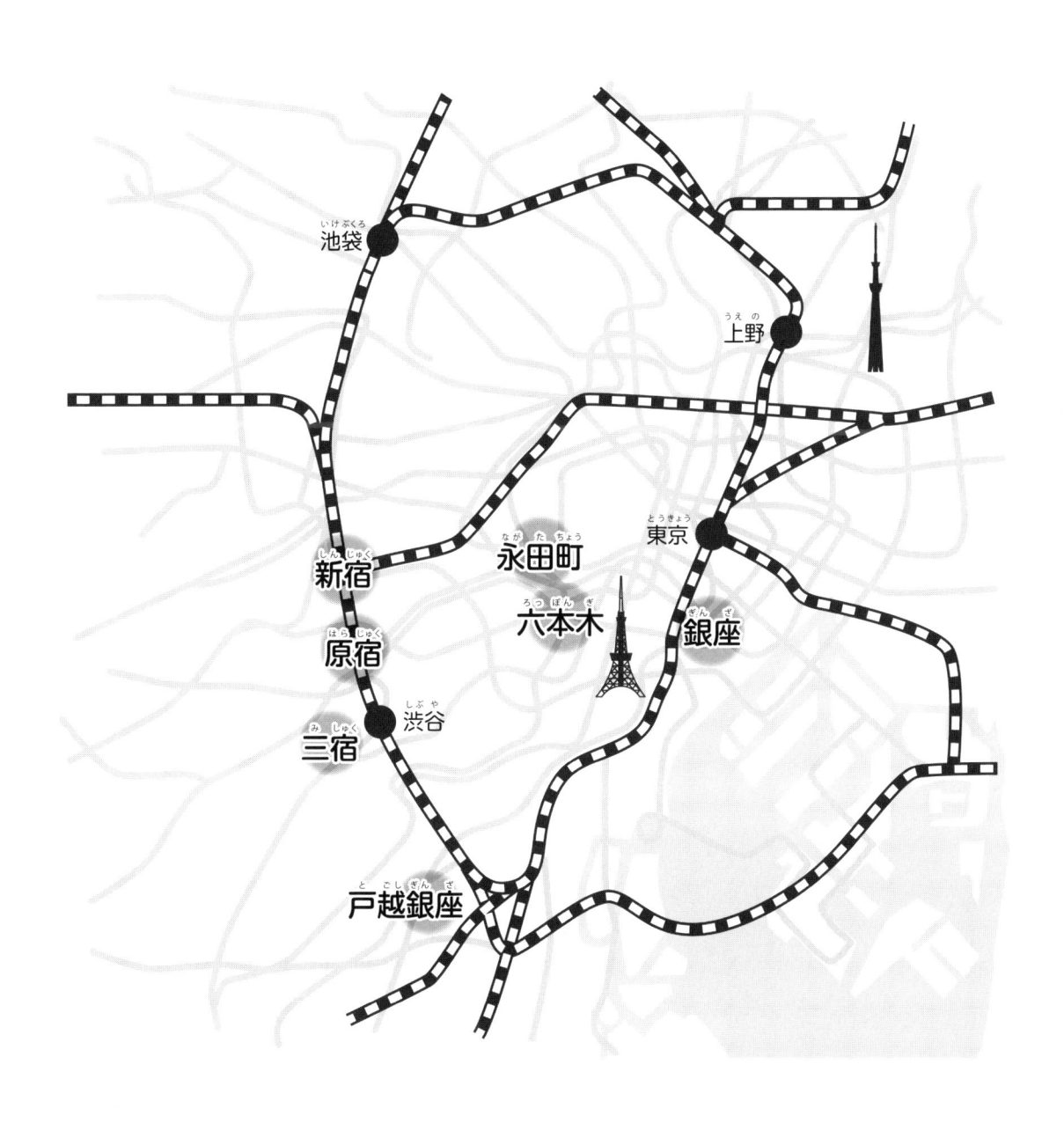

❓ 名前の由来がわかりましたか。
1. 東京　2. 六本木　3. 新宿　4. 銀座

😊 住んでいる町や有名な町の名前の由来を調べてみましょう。

日本を知る ㉕

笑う人のところには健康が来るって本当でしょうか。

笑う門には健康来る

　日本には「笑う門には福来る」ということわざがあります。これは、「楽しそうにしている家には、幸せが来る」という意味です。

　しかし、来るのは「幸せ」だけではありません。ある調査では、健康な人はいつもよく笑っていることがわかりました。ですから、「笑う門には健康来る」ということもできます。

　どうして笑うことが健康にいいと思いますか。それは2つの理由があります。1つは、おもしろいことがあったとき、人は笑います。笑うと、ストレスがなくなるからです。もう1つは、大きい声で笑うとき、体全体の筋肉を使うので、体が疲れます。そうすると、夜、よく眠ることができるからです。

　テレビを見たり、落語を聞いたりして、おもしろいときは声を出して笑うこともいいです。また、おもしろいと思ったことを話して、友達と一緒に笑うこともいいです。「おもしろいことがないから、笑うことができない」という人もいると思います。でも、大丈夫です。笑うトレーニングをしてみてください。ここでやり方をご紹介します。これは時間もお金もかかりません。とても簡単なので、毎日やってみましょう。

　まず、鏡を見て「あ・い・う・え・お」と言ってください。そのとき、口を大きく動かすようにしてください。これがポイントです。最初はちょっと顔が痛いかもしれませんが、だんだん慣れますから、心配しないでください。朝、顔を洗ったあとで、鏡を見ながらするのもいいと思います。

　次に、おもしろかったことを思い出して、声を出して「ハハハハ」と笑いましょう。最初はおもしろくなくても、自分の声を聞いていると、だんだんおもしろいと思うようになります。

　さあ、これであなたも健康です。

❓ 1.「笑う門には福来る」というのはどういう意味ですか。
　 2. どうして笑うことが健康にいいのですか。
　 3.「笑うトレーニング」はどうやってしますか。
☺ 皆さんは笑いと健康は関係があると思いますか。

日本を知る㉖

おもしろそうな仕事！ 実は、江戸時代からありました。

日本で最初のコピーライター

B 06

　皆さんは、コピーライターという仕事を知っていますか。コピーライターというのは、商品や会社などを宣伝するための言葉や文を書く仕事をしている人のことです。

　コピーライターが考えた言葉は、新聞や雑誌、ポスターなどの広告や、テレビ、ラジオのCM、ウェブサイトなどで使われます。コピーライターには有名な人も多くて、若い人たちが憧れる職業の1つです。新しくてかっこいいというイメージを持っている人も多いです。

　しかし、すでに江戸時代にそんな仕事をしていた人がいたそうです。平賀源内という人です。平賀源内(1728-1779)は江戸時代の博物学者ですが、それだけではなく、発明家、作家、画家で、マルチ人間だともいわれています。

　平賀源内は歯磨きのコマーシャルソングの作詞、作曲をしたり、「音羽屋多吉の清水もち」というもちの広告コピーを考えたりしました。

　日本には、夏バテ防止のために土用の丑の日にウナギを食べる習慣があります。土用の丑の日というのは毎年7月20日〜30日ごろですが、この日が近づくと、デパートやスーパーで「土用丑」と書かれたポスターをよく見るようになります。これも平賀源内が考えたキャッチコピーではないかといわれています。夏にウナギが売れなくて困っていたウナギ屋に頼まれて、平賀源内が「土用の丑の日、ウナギの日」という広告を作ったという話があります。

　このようなことから、平賀源内は日本で最初のコピーライターだといわれるようになりました。

写真提供／平賀源内記念館

❓ 平賀源内はどうして「日本で最初のコピーライター」といわれるようになりましたか。

☺ 人にすすめたい物について、キャッチコピーを考えてみましょう。

日本を知る㉗

夜1人で歩いていると……。

のっぺらぼう

　東京のあるところに、川の近くで家があまりないところがあった。夜になるとそこは暗くなって、とても寂しかった。夜遅く通る人は、そこを歩きたくなかったので、少し遠くてもいいから別の道を通っていた。それはこの辺に「のっぺらぼう」がよく出たからだ。

　ある夜、仕事で遅くなった商人の男が急いで歩いていると、道の横で座って泣いている女がいた。女はきれいな着物を着た、体の細い人だった。お金持ちの家の娘のようにきれいな髪をしていた。商人は心配して、「娘さん」と声をかけた。

　「娘さん、そんなに泣かないでください。何か困っていることがあったら、私に言ってください。私にできることがあれば、喜んでしましょう」

　しかし、女は泣き続けていた。商人はもう一度、優しく声をかけた。

　「どうぞ、どうぞ私の言葉を聞いてください。ここは危ないですよ。あなたのような若い女の人が夜遅くこんなところにいてはいけません。お願いですから、泣くのをやめてください。どうしたらいいか、私に言ってください」

　女は静かに立ち上がったが、商人のほうを見ないで、泣き続けていた。商人は女の肩の上に手を置いて言った。

　「娘さん、娘さん！　私の言葉を聞いて。少しでいいから。ねえ、娘さん！」

　女は静かに商人のほうを向いた。商人がその顔を見ると、女には目も鼻も口もなかった。

「ぎゃっ！」と声を出して、商人は逃げ出した。商人は一生懸命、走った。道は真っ暗で、何も見えなかった。後ろも見られなかったから、前だけを見て走り続けた。すると、遠くに小さな明かりが見えたので、そちらへ向かってさらに走った。
　近くへ行くと、それが屋台のそば屋の提灯であることがわかった。商人は「人がいる！　ああ、よかった」と思って、そば屋の主人のところまで走っていった。

商人　「ああ！　ああ！　ああ！　ああ！」
そば屋「おい、おい！　どうしたんだ？　誰かに悪いことをされたのか」
商人　「いや、誰にも、何もされていない……ただ……ただ……ああ」
そば屋「強盗か。泥棒か」
商人　「いや、強盗じゃない。泥棒でもない」

　商人は「はあはあ」と息を切らしながら言った。

商人　「私は見た！　女を見たんだ！　あそこで……。でも、女の顔、顔が……。あぁー……」

そば屋「へえ。その女の顔は……こんな顔だったか」

　そば屋が顔を触ると、その顔は卵のようにつるつるになった。
　そして、屋台の提灯の明かりが消えて、辺りはまた真っ暗になった。

❓ 1.「のっぺらぼう」は何ですか。
　2. 商人の男は、このあと、どうなったと思いますか。想像して話してください。
😊 国に怖い話がありますか。紹介してください。

日本を知る㉘

まんじゅうを知っていますか。甘くておいしいお菓子です。
そのまんじゅうがどうして「怖い」のでしょうか。

まんじゅう怖い

　あるとき、町の若い男の人たち（兄貴、源さん、長太、春さん、市さん、辰さん）が集まって話をしていました。お互いに好きな食べ物は何かという話から、嫌いな動物の話になりました。

兄貴　「お前が嫌いな動物は何だ？」
源さん「俺はカエル。あの背中にある豆みたいな物を見ると、気持ちが悪くなる」
兄貴　「長太は？」
長太　「俺はヘビ。あのにゅるにゅるした感じを見ると、ぞっとする。長い物は嫌だな」
兄貴　「え、お前、名前が『長太』っていうのに、長い物はだめなのか」
長太　「へえ、俺、自分の名前を呼ばれるとほんとにぞっとするんですよ」
兄貴　「なんだかなあ。春さん、お前は？」
春さん「俺はミミズ」
兄貴　「長太と似てるな。市さんは？」
市さん「俺は……クモ。あのクモの巣を見ると、気持ちが悪くなる」
兄貴　「そっか。……おい、辰さん、お前はどうだ？　怖い物、あるか」
辰さん「ないね」
兄貴　「え、1つぐらいあるだろう？」
辰さん「ないね」
兄貴　「ほら、ヘビはどうだ？　長太も嫌だって言ってた」
辰さん「あんなのは頭が痛いとき、鉢巻きにしたらいいんだ」
兄貴　「へえ。じゃ、カエルはどうだ？」
辰さん「カエルは鶏肉に似ているから、しょうゆをつけて焼くとうまいんだ。ほら、クモも納豆に
　　　　入れて食べるとうまいんだぜ。糸がいっぱいだからな」
兄貴　「……」
辰さん「あ」
兄貴　「何だよ。その『あ』っていうのは」
辰さん「ちょっと気持ちが悪くなってきた」
兄貴　「えっ、大丈夫かよ」
辰さん「ううっ、実は気持ち悪い物があった」

兄貴　「えっ、何だい、それは」
辰さん「いいか、これを言うと体が寒くなってくるから、一度しか言わないぞ」
兄貴　「うん、何だよ」
辰さん「………ま、まんじゅう」
兄貴　「え？！　まんじゅう？」

　辰さんはブルブル震え始めました。顔も青くなってきて、「ああ、怖い、怖い。俺、ちょっと気分が悪くなったから、もう寝る」。そう言って、辰さんは部屋の中に入って寝てしまいました。
　しばらくすると、他の人たちは「辰さんは飲んでもいつも金を払わない」「辰さんとけんかをしても勝てない」などと言い始めました。そこで、

兄貴　「いいことを聞いた。よし、一度あいつをまんじゅうでいじめよう」
春さん「え、兄貴、まんじゅうで？　どうやって」
兄貴　「あいつはまんじゅうが怖いだろう？　これからみんなでいっぱいまんじゅうを買ってきて、寝ている辰さんの頭の上のところに置いとくんだ」
春さん「へえ」
兄貴　「起きたら……」
源さん「なるほど……兄貴、頭がいいですね」
兄貴　「よし、みんな、まんじゅう買って来い」

　しばらくすると、春さん、源さん、市さん、長太はたくさんまんじゅうを買って帰って来ました。

103

兄貴　「おい、辰さん、ここに天丼を置いといたから、具合がよくなったら食べてくれ」

　兄貴はそう言って、まんじゅうを辰さんの頭の上のところに置いて、部屋を出ました。隣の部屋にいた春さんたちは、障子に穴を開けて、静かに辰さんの様子を見ていました。

　辰さんは布団から出て、まんじゅうを見ると「ワアー」と大きい声で叫びながら、まんじゅうを口に入れ始めました。
「まんじゅう、怖いよう。まんじゅう、怖いよう」と言いながら、置いてあったまんじゅうを全部食べてしまいました。兄貴が障子を開けて
「おい、辰さん、俺たちにうそをついたな！お前は本当は何が怖いんだ！」と言うと、
「あー、今度は熱いお茶が怖い」

1. この話に出てくる人たちが嫌いなものは何ですか。
   源さん
   長太
   春さん
   市さん
2. 源さんたちはどうして辰さんにまんじゅうを買って来ましたか。
3. 辰さんはどうして「あー、今度は熱いお茶が怖い」と言いましたか。

皆さんは何が「怖い」ですか。

解答例

第1部「日本で暮らす」

1 ハンバーガーショップで注文
- 740円（エビバーガー 320円＋サラダセット 420円）

2 お店で見つけたおもしろい物
2. C 3. D 4. A
- 1. これはUSBメモリースティックです。すしではありません。
- 2. これはデジタルカメラです。

3 遊びに行こう！
- 1. D 2. C 3. A 4. B

4 週末に行ってみたい街
- 人が多いですが、緑も多いです。にぎやかなところです。大きい公園や商店街があります。桜の木もたくさんあります。

5 野球を見に行きましょう
- ジョンさん、鈴木さんが金曜日に野球を見に行きます。

6 イベントのお知らせ
- リンさん：フリーマーケット　ジミーさん：合気道の会　ガブリエルさん：料理教室

8 沖縄へ行きたい
- 市場に 魚／肉 屋や レストラン などがあります。
- 沖縄の海はとても きれい です。海で 泳ぎ ましょう。

9 試験の注意書き
- 1. ⓐスマートフォンがありますから。　ⓑ「すみません」と言いましたから。
- 2. できません。
- 3. できません。

10 駅の電光掲示板
- リンさん：行くことができません。　ジョンさん：行くことができます。

11 リサイクル掲示板
- 木村さん：あります。　リンさん：ありません。

14 いいプールを探そう
- いいところの例：安いです。／駅から近いです。／広いサウナがあります。／7、8月以外はすいています。特に平日夜はすいています。／50メートルプールがあります。広いです。
- 悪いところの例：古いです。／7、8月は混んでいます。／ロッカーが小さいです。

15 日本語でつぶやき♪
- B

16 日帰りバスツアーに行こう！
- 1. Aプラン　2. Bプラン

17 学校のホームページ
- ショップ経営学科

106

18 振替輸送
❓ 1. ジョンさん、田中さん
2. 駅員のいる改札口を通ります。

19 飲み会に来る？ 来ない？
❓ ゆみこさんは来ませんが、圭太さんは来ると思います。
理由：ゆみこさんのメールには「また連絡する」と書いてありますが、いつ連絡するかがわからないことと、飲み会に行くという言葉がないから来ないと思います。圭太さんのメールには「行く時間、遅くなちゃうかもしれないけど、いい？」と聞いていることと、時間どおりに行けそうなら連絡すると書いてありますから来ると思います。

20 薬の説明書
❓ 1. 全部飲みます　　2. 6錠　　3. イロハニ錠

21 鍵をかけよう、声をかけよう
❓ 1. 鍵をかけること、かごに防犯ネットをかけることに注意します。
2. 車の通行と反対側に持つことに注意します。
3. 登下校する子どもたちを守ることができます。また、犯罪が起こりにくい町を作ることができます。

22 ポストに入っていたお知らせ
❓ 2. 冬は空気が乾燥するからです。
3. 地上に上がって、建物の3階以上に逃げます。
4. どうしたらいいかイメージをしておいたらいいです。

23 お悩み解決！
❓ 2.3

24 電車やバスの中で見た注意書き
❓ 1. A「手に持ったほうがいいよ」
B「危ないから、まだ立たないほうがいいよ」
C「危ないから、走るのはやめてくださいと書いてあります」
2. 混んでいる時間や車両をさけて、電車を利用することをお願いしています。

25 入学試験の準備～出願書類～
❓ 1. 日本語の訳文をつけなければなりません。
2. 黒のペンまたはボールペンで書きます。
3. 300字以上500字以内で書きます。
4. 出身学校または大使館など、公的機関で証明されたコピーを提出します。

27 便利グッズでもっと楽しく、もっと便利に！
❓ 1. ポテトチップスなどのスナック菓子を食べるときに使います。
2. 卵焼きやオムレツに使えます。

第2部「日本を知る」

1 これは何でしょう？
1. ウサギ　2. リンゴ　3. でんしゃ　4. サクラ　5. パンダ

3 朝の音
❓ 1. A 2)　B 1)　C 3)
2. おはよう(ございます)

4 日本の名物
❓ 1. B　2. C　3. A　4. D

5 てるてる坊主
❓ A. 3　B. 1　C. 2　D. 4

6 おむすびころりん
❓ 1. ×　2. ×　3. ○　4. ×

7 ハチ公
❓ 1. 大学の先生は（ 犬 ）を飼っていました。その犬はとても（ 頭がよくて、かわいい犬でした ）。犬は毎日、先生と一緒に（ 渋谷駅 ）へ行きました。そして、先生を（ 迎え ）に行きました。ある日、先生は（ 病気 ）で急に死にましたが、ハチは（ 駅の前 ）で先生を（ 待ちました ）。

2. ハチは病気になりましたが、ずっと駅の前で先生を待ちましたから。

8 お土産の始まり
❓ 1. いいえ、同じではありません。

2. いいえ、できませんでした。

3. 神社へ行く人に「宮笥を買って来てください」とお願いをしました。

9 旭山動物園
❓ 新しい動物の見せ方を始めました。

10 お見舞い
❓ 1. A　2. A、C

12 祝日ともち
❓ 1月：雑煮　3月：ひしもち　5月：かしわもち

13 かちかち山
❓ 1. おじいさんが畑にまいた豆を全部食べました。おばあさんをたたいて殺しました。

2. 山でたくさん木の枝を拾いました。そして、タヌキに「木の枝を全部持って山を下りたら、豆をあげますよ」と言いました。それから、大きい土の舟を作りました。

3. 土の舟と一緒に川に沈んで行きました。

14 竹取物語
❓ 1. 光っている竹の中に女の子を見つけました。

2. かぐや姫は月にある家へ帰らなければなりませんでしたから。

15 日本人の名字
❓ 1. （ 佐藤 ）は、日本でいちばん多い名字です。

2. イチロー選手の名字は（ 鈴木 ）さんです。

3. 日本人の名字は（ 地形 ）、（ 方位 ）、（ 職業 ）などが由来になっています。

17 おふくろの味って何？
❓ 1. お母さんの味。／子どものときによく家で食べた料理の味、懐かしくて何度でも食べたいと思う料理の味。

2. みそ汁、煮物、肉じゃが

18 和室の工夫
❓ 1. すぐに使わない物や布団などを入れておくところです。

2. 季節の花や掛け軸を飾ります。

3. 木と紙でできています。

4. 外すことができることが違います。

19 お弁当
❓ 1. 食べ物で動物やアニメのキャラクターを作ったお弁当です。
2. 駅や長距離列車の中で売っているお弁当です。

20 鶴の恩返し
❓ C → A → E → B → D

21 明るくて、ハートの優しい女の子
❓ さまざまな物に変身できるところです。

22 「傍(＝自分の周りにいる人)を楽にする」働き
❓ 1. 朝ご飯を食べる前にできる簡単なことという意味です。
2. 近所の一人暮らしのお年寄りや母子家庭、父子家庭の家へ行って、手伝いをしました。

23 地方を元気に！
❓ 大分県の湯布院という町では、温泉やその町で作られている野菜や肉を使った料理を旅館やホテルで出しています。／埼玉県の川越という町では、江戸時代の町の様子を大切に残して宣伝しました。／福井県には若者にユニークなアイデアを出してもらい、その活動を応援するプロジェクトがあります。

24 日本の地名〜六本木には木が6本？〜
❓ 1. 京都から見て東の京(首都)という意味です。
2. 松の木が6本あったからです。／青木、一柳、上杉、片桐、朽木、高木という6人の大名の家があったからです。
3. 旅の途中で泊まる宿があったからです。
4. お金を作る役所があったからです。

25 笑う門には健康来る
❓ 1. 「楽しそうにしている家には、幸せが来る」という意味です。
2. ストレスがなくなるからです。大きい声で笑うとき、体全体の筋肉を使うので、体が疲れ、夜、よく眠ることができるからです。
3. まず、鏡を見て「あ・い・う・え・お」と言い、口を大きく動かします。次に、おもしろかったことを思い出して、声を出して「ハハハハハ」と笑います。

26 日本で最初のコピーライター
❓ 歯磨きのコマーシャルソングの作詞、作曲をしたり、「音羽屋多吉の清水もち」というもちの広告コピーを考えたりしたからです。

27 のっぺらぼう
❓ 1. 顔のないお化けです。

28 まんじゅう怖い
❓ 1. 源さん：カエル　長太：ヘビ　春さん：ミミズ　市さん：クモ
2. 辰さんが怖いものはまんじゅうだと言ったからです。
3. お茶が飲みたかったからです。

シラバス

第1部「日本で暮らす」

番号	タイトル	できること	レベルの目安
1	ハンバーガーショップで注文	レストランなどでメニューを読んで注文することができる。	『できる日本語 初級 本冊』 1～5課
2	お店で見つけたおもしろい物	おもしろグッズの説明を読んでどんな商品か大まかに知り、商品を選ぶことができる。	
3	遊びに行こう！	ガイドブックの目次ページから自分が行きたいところを知ることができる。	
4	週末に行ってみたい街	町の紹介文を読んで、その町がどんなところかわかる。	
5	野球を見に行きましょう	友達からのメールを読んで、誘いを受けることができる。	『できる日本語 初級 本冊』 1～10課
6	イベントのお知らせ	チラシを見て、どんなイベントがあるかがわかる。	
7	ケーキの食べ放題特集！	雑誌の記事を見て、店を選ぶことができる。	
8	沖縄へ行きたい	ある場所のサイトを見て、そこの様子が大まかにわかる。	
9	試験の注意書き	試験が行われる際の注意書きを読んで、トラブルを避けることができる。	『できる日本語 初級 本冊』 1～15課
10	駅の電光掲示板	駅の電光掲示板を読んで、電車の運行状況を知ることができる。	
11	リサイクル掲示板	掲示板を見て、自分が必要なものを手に入れることができる。	
12	たくさん遊びたい！！	複合施設のパンフレットを見て、園内にどんな施設があるかがわかる。	
13	地震が来る前に	地域の回覧板を読んで、地震への備えとしてどのような準備が必要かがわかる。	
14	いいプールを探そう	インターネットの口コミサイトを読んで、施設の情報を得ることができる。	『できる日本語 初中級 本冊』 前半
15	日本語でつぶやき♪	日本語のツイッターを読んで、自分の興味があることの情報を取ることができる。	
16	日帰りバスツアーに行こう！	バスツアーのパンフレットを見比べて、自分の行きたいツアーを選ぶことができる。	
17	学校のホームページ	専門学校のホームページを見て、その学校の特徴を知ることができる。	
18	振替輸送	ポスターに書いてある情報から、振替輸送のシステムを理解して、利用することができる。	
19	飲み会に来る？　来ない？	日本人の友達からのメールの返信を読んで、返事の意味を理解することができる。	
20	薬の説明書	薬の説明書を読んで、薬の飲み方を知ることができる。	『できる日本語 初中級 本冊』 後半
21	鍵をかけよう、声をかけよう	防犯を呼び掛けるチラシを読んで、日常生活の中で気をつけることができる。	
22	ポストに入っていたお知らせ	災害時に関する自治体からのお知らせを読んで、いざというときに備えることができる。	
23	お悩み解決！	情報誌を読んで、自分の困っていることについての解決方法がわかる。	
24	電車やバスの中で見た注意書き	電車やバスの中にある注意書きを読んで、何についての注意か知ることができる。	
25	入学試験の準備～出願書類～	募集要項を読んで、必要な情報を得ることができる。	
26	今度行くならこんなとこ！	ガイドブックを読んで、次に行きたいところを見つけることができる。	
27	便利グッズでもっと楽しく、もっと便利に！	商品の説明を読んで、利便性やメリットを理解することができる。	

第2部「日本を知る」

番号	タイトル	できること	レベルの目安
1	これは何でしょう？	ごく簡単なクイズから、自分の身の回りにあるおもしろいグッズについて知ることができる。	『できる日本語 初級 本冊』 1～5課
2	何の数でしょう？ ～日本の数～	日本についてのミニ情報を知ることができる。	
3	朝の音	擬音語・擬態語を少し知ることができる。	
4	日本の名物	日本各地にどのような名物があるか知ることができる。	
5	てるてる坊主	気候に合わせた暮らしの楽しみ方を知ることができる。	『できる日本語 初級 本冊』 1～10課
6	おむすびころりん	日本の昔話を知ることができる。	
7	ハチ公	渋谷駅前にある犬の銅像について知ることができる。	
8	お土産の始まり	お土産という言葉の始まりを知ることができる。	
9	旭山動物園	日本で話題になった動物園について知ることができる。	
10	お見舞い	お見舞いのマナーを知ることができる。	『できる日本語 初級 本冊』 1～15課
11	ご当地ラーメン	同じ物でも地域によって特色があることを知ることができる。	
12	祝日ともち	日本の年中行事にかかわる食べ物について簡単に知ることができる。	
13	かちかち山	日本の昔話を知ることができる。	
14	竹取物語	日本の昔話を知ることができる。	
15	日本人の名字	日本人の名字について大まかに知ることができる。	『できる日本語 初中級 本冊』 前半
16	部活！ 部活！ 部活！	日本の学校の部活動について知ることができる。	
17	おふくろの味って何？	日本の家庭料理について知ることができる。	
18	和室の工夫	日本人の気候に合わせた暮らしの工夫を知ることができる。	
19	お弁当	日本にあるさまざまなお弁当について知ることができる。	
20	鶴の恩返し	日本の昔話を知ることができる。	
21	明るくて、ハートの優しい女の子	日本で誰もが知っている物やそれを作った人について知ることができる。	『できる日本語 初中級 本冊』 後半
22	「傍(＝自分の周りにいる人)を楽にする」働き	江戸時代の人の暮らしを通して「働く」ことについて考えることができる。	
23	地方を元気に！	東京と地方の違いを知り、地方活性化のために実際に行われていることを知ることができる。	
24	日本の地名～六本木には木が6本？～	日本の地名の由来を知ることができる。	
25	笑う門には健康来る	健康法の1つを知ることができる。	
26	日本で最初のコピーライター	日本で最初のコピーライターといわれる人について知ることができる。	
27	のっぺらぼう	日本の怖い話を知ることができる。	
28	まんじゅう怖い	落語の有名な演目の1つを知ることができる。	

■著作権
エンハンスドCDに収録された音声やPDFデータは、個人的あるいは教授目的で、複製・印刷したり、テストやプリントにコピーして使用することに限って販売されています。著作権者の許諾を得ずに複製、上映および公衆送信（自動公衆送信および送信可能化を含む）することは、法律の定める場合を除き禁止されています。

■本書付属のCDについて
- 弊社制作の音声CDは、CDプレーヤーでの再生を保証する規格品です。
- パソコンでご使用になる場合、CD-ROMドライブとの相性により、ディスクを再生できない場合がございます。ご了承ください。
- パソコンでタイトル・トラック情報を表示させたい場合は、iTunesをご利用ください。iTunesでは、弊社がCDのタイトル・トラック情報を登録しているGracenote社のCDDB（データベース）からインターネットを介してトラック情報を取得することができます。
- CDとして正常に音声が再生できるディスクからパソコンやmp3プレーヤー等への取り込み時にトラブルが生じた際は、まず、そのアプリケーション（ソフト）、プレーヤーの製作元へご相談ください。

できる日本語準拠
たのしい読みもの55　初級＆初中級

発行日	2013年3月22日（初版） 2024年6月10日（第9刷）
監　修	嶋田和子（一般社団法人アクラス日本語教育研究所）
著　者	できる日本語教材開発プロジェクト 澤田尚美（元イーストウエスト日本語学校） 高見彩子（イーストウエスト日本語学校） 有山優樹（　　　同　上　　　） 小林 学（　　　同　上　　　） 田坂敦子（　　　同　上　　　） 森 節子（　　　同　上　　　）
編　集	株式会社アルク出版編集部
校　正	岡田英夫
翻訳・校正	株式会社ヒトメディア 英語：Michael E. Narron 中国語：小島茜 韓国語：韓興鉄 ベトナム語：Vũ Tuấn Khải
編集協力	桐原奈美
装丁・イラスト・本文デザイン・CDレーベルデザイン・DTP　岡村伊都	
ナレーション	桑島三幸、西田雅一、桂扇生（まんじゅう怖い）
CD編集、効果音制作	Niwaty
CD録音	株式会社メディアスタイリスト
CDプレス	株式会社ソニー・ミュージックソリューションズ
印刷・製本	萩原印刷株式会社
発行者	天野智之
発行所	株式会社アルク 〒141-0001　東京都品川区北品川6-7-29　ガーデンシティ品川御殿山 Website：http://www.alc.co.jp/

落丁本、乱丁本は弊社にてお取り替えいたしております。
Webお問い合わせフォームにてご連絡ください。
https://www.alc.co.jp/inquiry/

- 本書の全部または一部の無断転載を禁じます。著作権法上で認められた場合を除いて、本書からのコピーを禁じます。
- 定価はカバーに表示してあります。
- 製品サポート：http://www.alc.co.jp/usersupport/

© 2013 Kazuko Shimada / Naomi Sawada / Saiko Takami / Yuki Ariyama /
Manabu Kobayashi / Atsuko Tasaka / Mori Setsuko / ALC PRESS INC.
Printed in Japan.
PC 7013030
ISBN 978-4-7574-2277-3

地球人ネットワークを創る
アルクのシンボル
「地球人マーク」です。

できる日本語準拠
たのしい読みもの 55

別冊
語彙リスト

- 英語
- 中国語
- 韓国語
- ベトナム語
- 4か国語対応

日本で暮らす

❶ ハンバーガーショップで注文

ハンバーガーショップ	hamburger restaurant/ fast food restaurant	汉堡包店	햄버거숍	hiệu bánh hăm-bơ-gơ
注文	order	点菜	주문	gọi món
いらっしゃいませ	welcome	欢迎光临	어서 오세요	Xin chào quý khách
エビバーガー	shrimp burger	炸虾汉堡	새우버거	bánh bơ-gơ tôm
コーラ	cola	可乐	콜라	cola
ください	please	请给	주세요	cho tôi
セット	set	套餐	세트	suất
いかがですか	Would you like ~ ?/ How about ~ ?	怎么样	하시겠습니까?	ông/bà thấy thế nào ạ
こちら	here/ this	这里	이쪽	đây là
メニュー	menu	菜单	메뉴	thực đơn
どうぞ	please/ here you are (here: "Please use this menu.")	请	보세요	xin mời
サラダセット	salad set	沙拉套餐	샐러드세트	rau suất
お願いします	to ask/ entreat	要	주세요	cho tôi
ドリンク	drink	饮料	음료	đồ uống
こちらでお召し上がりですか	for here	在这里用餐吗?	여기서 드시겠습니까?	Ông/bà có ăn tại đây không?
お持ち帰りですか	to go/ take out	带走吗?	가지고 가시겠습니까?	mang về
少々お待ちください	one moment, please	请稍等	잠시 기다려 주십시오.	Xin hãy đợi một chút
同じ	the same	一样	같다	giống

❷ お店で見つけたおもしろい物

見つけます[見つける]	to find	看到	찾습니다[찾다]	tìm thấy
おもしろい	interesting/ fun/ funny	有意思的	재미있다	thú vị
物	thing(s)/ object(s)	东西	물건	vật
これ	this	这个	이것	cái này
ＣＤプレイヤー	CD player	激光唱机	CD플레이어	máy quay đĩa CD
ピアノ	piano	钢琴	피아노	đàn piano
消しゴム	eraser	橡皮	지우개	cái tẩy
～個	piece (counter for objects)	～个	―개	~cái
はえたたき	fly swatter	苍蝇拍	파리채	cái đập ruồi
ラケット	racket	球拍	라켓	cái vợt
スマートフォン	smartphone	智能手机	스마트폰	điện thoại thông minh
ケース	case	外壳	케이스	hộp
チョコレート	chocolate	巧克力	초콜릿	sô-cô-la

説明・します[説明・する]	to explain/ to describe	说明	설명・합니다[설명・하다]	giải thích

❸ 遊びに行こう！

とても	very	非常	아주	rất
にぎやか(な)	busy/ bustling	热闹(的)	번화함(번화한)	náo nhiệt
ゲーム	game	游戏	게임	trò chơi
アニメ	comic book	动画片	애니메이션, 만화	phim hoạt hình
店	store(s)	商店	가게	hiệu, cửa hàng
多い	many	多	많다	đông
電気屋	electrical appliance/ electronics store	电器商店	전기상	cửa hàng điện
たくさん	many	许多	많이	nhiều
静か(な)	quiet	安静(的)	조용함(조용한)	yên tĩnh
ところ	place	地方	장소	nơi
海	sea/ ocean	海	바다	biển
きれい(な)	beautiful/ clean	美丽(的)	아름답다(아름다운)	đẹp, sạch
料理・します[料理・する]	to cook	菜肴/烹饪	요리・합니다[요리・하다]	nấu ăn
古い	old	古老的	오래되다	cũ
寺	temple	寺庙	절	chùa
町	town	商业街	동네	khu phố
若い	young	年轻的	젊다	trẻ
人	people	人	사람	người
かわいい	cute	可爱的	예쁘다	xinh
服	clothes	衣服	옷	quần áo
アクセサリー	accessory	装饰品	액세서리	đồ trang sức
市場	market	市场	시장	cái chợ
食堂	diner	餐厅	식당	nhà ăn
食べ物	food	食物	음식	đồ ăn
～線	line	～线	－선	tuyến~
地下鉄	subway	地铁	지하철	tàu điện ngầm
こんなとき	at such a time	这时	이럴 때	những lúc như thế này
新鮮(な)	fresh	新鲜(的)	신선(신선한)	tươi
ほしい	wish/ want	想要	－고 싶다	muốn
リラックスしたいです	to want to relax	想轻松一下	릴랙스하고 싶습니다	muốn thư dãn
路線図	route map	路线图	노선도	bản đồ tuyến tàu
地図	map	地图	지도	bản đồ
行きたいです	to want to go	想去	가고 싶습니다	muốn đi

❹ 週末に行ってみたい街

人気	popular	人气	인기	sự hâm mộ
街	city/ town	街道	동네	phố
行ってみたい	would like to go	想去逛一逛	가고 싶다	muốn đi thử
和食	Japanese food	日餐	일식	món ăn Nhật
アジアン	Asian	亚洲的	아시안	món ăn châu Á
イタリアン	Italian	意大利的	이탤리언	món ăn Ý
たくさん	many	许多	많이	nhiều
近い	close	近	가깝다	gần
小劇場	small theater	小剧场	소극장	sân khấu nhỏ
ライブハウス	bar with live music	现场演奏俱乐部	라이브하우스	nhà biểu diễn nhạc sống
雑貨	variety store	杂货	잡화	tạp hóa
スイーツ	sweets	甜点	달콤한 디저트	đồ ngọt
カフェ	café	咖啡店	카페	cà phê
おしゃれ(な)	stylish	讲究(的)	세련(세련된)	điệu, mốt
古着	second-hand clothes	旧衣服	헌옷	quần áo cũ
古本屋	used book store	旧书店	헌책방	hiệu quần áo cũ
住みたい	would like to live	想居住的	살고 싶다	muốn sống ở
ランキング	ranking	排名	랭킹	xếp hạng
人	people	人	사람	người
多い	many	多	많다	nhiều
緑	green	绿树	나무	màu xanh
にぎやか(な)	busy/ bustling	热闹(的)	번화함(번화한)	náo nhiệt
商店街	shopping street/ district	商业街	상점가	khu phố thương mại
池	pond	池塘	못	cái ao
桜	cherry	樱花	벚꽃	anh đào
木	tree	树	나무	cây
春	spring	春天	봄	mùa xuân
花見	flower viewing	赏花	벚꽃놀이	ngắm hoa
隣	next (to)	旁边	옆	bên cạnh
長い	long	长的	길다	dài
おもしろい	interesting/ fun	有意思的	재미있다	thú vị
店	store(s)/ shop(s)	商店	가게	hiệu, cửa hàng
専門店	specialty store/ shop	专卖店	전문점	hiệu chuyên bán~
メンチカツ	deep-fried minced meat cutlet	炸肉饼	민스커틀릿	món bột khoai tây chiên

行列	line/ queue	行列	줄	hàng, dãy
説明・します[説明・する]	to explain/ to describe	说明	설명・합니다[설명・하다]	giải thích

❺ 野球を見に行きましょう

一緒に	together	一起	같이	cùng
友達	friend(s)	朋友	친구	bạn
遊びたい	to want to play	去玩儿	놀고 싶다	muốn chơi
野球	baseball	棒球	야구	bóng chày
見に行きます	to go to see	去看	보러 갑니다	đi xem
メール	mail	短信	메일	thư điện tử
送ります[送る]	to send	发送	보냅니다[보내다]	gửi
試合	game/ match	比赛	시합	trận đấu
皆さん	everyone	大家	여러분	các bạn
チケット	ticket	票	표	cái vé
～枚	piece (counter for flat objects)	～张	一장	~tờ
返事	response/ reply	答复	답장	hồi âm
大好き(な)	love	最喜欢(的)	매우 좋아함 (매우 좋아하는)	rất thích
ぜひ	by all means/ definitely	一定	꼭	rất
アルバイト	part time job	钟点工	아르바이트	việc làm thêm
ひま(な)	not busy/ free	空闲(的)	한가함(한가한)	nhàn rỗi
予定	schedule/plan	安排	예정	dự định
うれしい	happy	高兴的	기쁘다	vui
中華料理	Chinese food	中餐	중국요리	món ăn Trung Quốc
レストラン	restaurant	餐厅	레스토랑	nhà hàng
残念(な)	unfortunately/ too bad	遗憾	유감(유감한)	tiếc
約束・します[約束・する]	to promise/ to have plans	约定	약속・합니다[약속・하다]	hứa
また今度	next time	下次	다음에 또	để lần tới
お願いします	to ask/ request	邀请	부탁합니다	nhờ

❻ イベントのお知らせ

イベント	event	文娱[体育]活动	행사	sự kiện
お知らせ	notification	通知	알림	thông báo
フリーマーケット	flea market	自由市场	프리마켓	chợ giảm giá
雨の日	rainy day/ in the event of rain	雨天	우천	ngày mưa
中止・します[中止・する]	to cancel	中止	중지・합니다[중지・하다]	hủy, ngừng
場所	place/ venue	地点	장소	địa điểm

広場	plaza	广场	광장	quảng trường
約	approximately	大约	약	khoảng
店	store(s)/ shop(s)	商店	가게	hiệu, cửa hàng
お好み焼き	okonomiyaki	杂样煎饼	오코노미야키	món bánh xèo Nhật
綿菓子	cotton candy	棉花糖	솜사탕	kẹo bông
料理教室	Cooking class	烹饪学习班	요리교실	lớp dạy nấu ăn
毎月	every month/ monthly	每个月	매달	hàng tháng
第2土曜日	2nd Saturday	第二个星期六	제2 토요일	ngày thứ bảy thứ hai
簡単(な)	easy/ simple	简单(的)	간단(간단한)	đơn giản
おいしい	tasty/ delicious	好吃的	맛있다	ngon
一緒に	together	一起	같이	cùng
作ります[作る]	to make	做	만듭니다[만들다]	làm
今月	this month	这个月	이번 달	tháng này
卵焼き	Japanese-style rolled omelet	煎鸡蛋	계란말이	trứng rán
肉じゃが	meat and potato stew	土豆炖肉	고기와 감자 조림	món khoai tây nấu thịt
参加費	admission/ fee	参加费	참가비	phí tham gia
～回	(each) time	～次	－회	~lần
当日	on the day of the event/ at the door	当天	당일	ngày hôm đó
受付	registration	接待处	접수	bộ phận tiếp tân
払います[払う]	to pay	支付	냅니다[내다]	trả tiền
持ち物	things to bring	携带物品	소지품	vật mang theo
エプロン	apron	围裙	앞치마	cái tạp-dề
メモ	note pad	笔记本	메모	ghi chép
ペン	pen	笔	펜	cái bút
参加・します[参加・する]	to participate/ join in	参加	참가・합니다[참가・하다]	tham gia
電話	telephone	电话	전화	điện thoại
または	or	或者	혹은	hoặc là
申し込みます[申し込む]	to apply/ to sign up	报名	신청합니다[신청하다]	đăng ký
合気道	aikido	合气道	합기도	hợp khí đạo
習います[習う]	to learn	学	배웁니다[배우다]	học, tập
毎週	every week/ weekly	每周	매주	hàng tuần
費用	fee/ cost	费用	비용	chi phí
体育館	gymnasium	体育馆	체육관	nhà chơi thể thao
練習・します[練習・する]	to practice	练习	연습・합니다[연습・하다]	luyện tập
メンバー	member	成员	회원	thành viên
初めて	beginner/ first time	初次	처음	lần đầu tiên

歓迎・します[歓迎・する]	to welcome	欢迎	환영・합니다[환영・하다]	hoan nghênh
話します[話す]	to speak/ to talk	说	이야기합니다[이야기하다]	nói chuyện
お茶	tea	茶	차	trà
お菓子	sweets	点心	과자	bánh kẹo
バーベキュー	barbeque	野外烧烤	바비큐	tiệc thịt nướng ngoài trời
無料	free of charge	免费	무료	miễn phí
チラシ	flyer/ leaflet	广告传单	전단지	tờ rơi
休みの日	day off/ holiday	休息日	휴일	ngày nghỉ
地域	(local) area	地区	지역	khu vực

❼ ケーキの食べ放題特集！

ケーキ	cake	蛋糕	케이크	bánh ngọt
食べ放題	all-you-can-eat	自助餐	뷔페, 무제한 리필	ăn thỏa thích
～より	from ~	从～	－부터	từ～
徒歩	by foot/ walking	徒步	도보	đi bộ
土日祝	weekends and holidays	周六周日节日	토일공휴일	thứ bảy, chủ nhật và ngày lễ
税込	tax included/ with tax	含税	세금 포함	bao gồm thuế
ドリンク	drink	饮料	음료수	đồ uống
～込み	included	含～	－포함	bao gồm～
メニュー	menu	菜单	메뉴	thực đơn
全～	all (here: total)	全～	전－	toàn～
種類	type(s) (here: selections)	种类	종류	chủng loại
パン	bread	面包	빵	bánh mì
果物	fruit	水果	과일	hoa quả
サラダ	salad	沙拉	샐러드	món rau tươi
飲み放題	all-you-can-drink	自助餐含酒水	음료수 무제한 리필	uống miễn phí
コーヒー	coffee	咖啡	커피	cà phê
紅茶	tea	红茶	홍차	trà đen
ジュース	juice	果汁	주스	nước hoa quả
～別	separate/ extra	不含～	－별도	~tính riêng
多い	many	多	많다	nhiều
サンドイッチ	sandwich(es)	三明治	샌드위치	bánh mì săng-uých
男の人	boy(s)/ men/ male(s)	男性	남자 분	nam giới
人気	popular	人气	인기	sự hâm mộ
時間制限なし	no time limit	无时间限制	시간제한 없음	không giới hạn thời gian
アイスクリーム	ice cream	冰激凌	아이스크림	kem

誕生日の人	people celebrating their birthdays	过生日的人	생일인 사람	người mà hôm đó là sinh nhật
安い	inexpensive/ cheap	便宜	싸다	rẻ
プレゼント	present	礼物	선물	quà
ウーロン茶	oolong tea	乌龙茶	우롱차	trà ô long
各〜	each	各〜	각–	mỗi~
たくさん	many	许多	많은	nhiều
ピザ	pizza	比萨饼	피자	bánh pizza
パスタ	pasta	意大利面食	파스타	mì pasta

❽ 沖縄へ行きたい

観光地	sightseeing spot/ area	旅游胜地	관광지	địa điểm du lịch
水族館	aquarium	水族馆	수족관	nhà trưng bày động vật dưới nước
いちばん	No. 1/ the most (here: the farthest)	最	가장	số một
南	south	南	남쪽	phía nam
水槽	tank	水槽	수조	bể cá
世界で	in the world	在世界上	세계에서	trên thế giới
魚	fish	鱼	물고기	cá
目の前で	in front of your eyes	在眼前	눈앞에서	trước mắt
海	sea/ ocean	海	바다	biển
市場	market	市场	시장	cái chợ
新鮮(な)	fresh	新鲜(的)	신선(신선한)	tươi
肉屋	butcher	肉店	정육점	cửa hàng thịt
豚肉	pork	猪肉	돼지고기	thịt lợn
おいしい	tasty/ delicious	好吃的	맛있다	ngon
〜階	~ floor	层	–층	tầng~
レストラン	restaurant	餐厅	레스토랑	nhà hàng
ランチ	lunch	午餐	런치	bữa trưa
人	people	人	사람	người
明るい	bright	开朗	밝다	sáng
親切(な)	kind(ly)	热情(的)	친절(친절한)	thân thiện
一年中	all year	一年四季	일년 내내	cả năm
青い	blue	蓝色的	파랗다	màu xanh da trời
空	sky	天空	하늘	bầu trời
きれい(な)	beautiful/ clean	洁净(的)	아름답다(아름다운)	sạch, đẹp
泳ぎます[泳ぐ]	to swim	游泳	헤엄칩니다[헤엄치다]	bơi
いろいろ(な)	various/ many	各种各样(的)	다양(다양한)	nhiều

祭り	festival	祭礼	축제	lễ hội
花火大会	fireworks festival	焰火晚会	불꽃놀이대회	buổi bắn pháo hoa
あります[ある]	to have/ to hold	有	있습니다[있다]	có
ホームページ	homepage	网页	홈페이지	trang nhà
友達	friend	朋友	친구	bạn

❾ 試験の注意書き

試験	test/ examination	考试	시험	kỳ thi
とき	time (here: when)	时候	때	lúc, khi
注意・します[注意・する]	precautions/ warning	注意	주의・합니다[주의・하다]	chú ý
試験中	during the test	考试中	시험중	đang thi
机	desk	桌子	책상	cái bàn
筆記用具	writing materials	笔记用具	필기도구	dụng cụ để viết
受験票	examination admission card/ ticket	准考证	수험표	phiếu dự thi
置きます[置く]	to put/ to place	放	놓습니다[놓다]	để
以外	except	以外	이외	ngoài
物	things	东西	물건	vật
入れます[入れる]	to put/ place into	放进	넣습니다[넣다]	cho vào
携帯電話	cell phone	手机	휴대폰	điện thoại cầm tay
スイッチ	switch	开关	전원	công tắc nguồn điện
切ります[切る]	turn off	关	끕니다[끄다]	tắt
質問・します[質問・する]	to ask a question	问题/提问	질문・합니다[질문・하다]	hỏi
静かに	quiet	安静地	조용히	yên lặng
手	hand	手	손	tay
上げます[上げる]	raise	举(起)	듭니다[들다]	giơ
私語	whisper	私语	사담	nói chuyện riêng
禁止・します[禁止・する]	prohibited/ forbidden	禁止	금지・합니다[금지・하다]	cấm
隣	next (to)/ neighbor	旁边	옆	bên cạnh
人	person	人	사람	người
答え	answer/ response	回答	답	câu trả lời
すぐに	immediately	马上	즉시	ngay
退室	dismissed (here: asked to leave)	退出房间	퇴실	ra khỏi phòng
開始・します[開始・する]	to begin/ start	开始	개시・합니다[개시・하다]	bắt đầu
たちます[たつ]	to pass (here: for 45 minutes)	过	지납니다[지나다]	qua
教室	classroom	教室	교실	lớp học
出ます[出る]	to leave/ exit	出去	나갑니다[나가다]	ra

一度	once (here: Once you leave)	一旦	한 번	một lần
入ります[入る]	to enter	进来	들어갑니다[들어가다]	vào
試験官	proctor	主考官	시험관	giám thị
どうして	why/ what happened?	为什么	왜	tại sao
すみません	excuse me	对不起	여기요	xin lỗi
スマートフォン	smartphone	智能手机	스마트폰	điện thoại thông minh
何か	something/ anything	～之类的	뭔가	gì đó
困ります[困る]	to be troubled (here: Were there any problems?)	有困难	곤란합니다[곤란하다]	gặp vấn đề

❿ 駅の電光掲示板

止まります[止まる]	to stop	停止运行	정차합니다[정차하다]	dừng lại
電光掲示板	electronic signboard	电光布告牌	전광게시판	bảng thông báo điện quang
～線	line	～线	-선	tuyến~
～ごろ	about (used with time)	～左右	-경	khoảng~
～より	from ~	从～	-부터	từ~
強風	strong winds	强风	강풍	gió to
影響で	due to	因受～的影响	영향으로	ảnh hưởng
上下線	in both directions	上下行线	상하선	ngược xuôi
運転・します[運転・する]	to operate	运行	운전・합니다[운전・하다]	lái tàu
遅延	delay	晚点	지연	chậm
～間	between	～区间	-간	đoạn~
人身事故	injury accident	人身事故	인신사고	tai nạn với người
遅れます[遅れる]	to be delayed	晚点	늦어집니다[늦어지다]	chậm
再開・します[再開・する]	restart	再运行	재개・합니다[재개・하다]	chạy lại
線路	track	线路	철로	đường ray
点検・します[点検・する]	to check/ inspect	检查	점검・합니다[점검・하다]	kiểm tra
また	again	又	다시	lại
始まります[始まる]	to begin	开始	시작됩니다[시작・되다]	bắt đầu

⓫ リサイクル掲示板

生活	life	生活	생활	cuộc sống sinh hoạt
必要(な)	required/ necessary	必需(的)	필요(필요한)	cần
リサイクル	recycle	再利用	재활용	tái sử dụng
掲示板	bulletin board	布告牌	게시판	bảng thông báo
情報	information	信息	정보	thông tin
譲ります[譲る]	to give away	让/让给	팝니다[팔다]	nhượng

電子レンジ	microwave oven	微波炉	전자레인지	lò vi sóng
少し	somewhat/ a little	有点儿	조금	hơi
汚れます[汚れる]	to be dirty	弄脏	더러워집니다[더러워지다]	bẩn
他に	other	其他的	다른	khác
問題	problem(s)	问题	문제	vấn đề
希望価格	asking price	自己提出的价格	희망가격	giá mong muốn
白	white	白色	흰색	màu trắng
高さ	height	高度	높이	chiều cao
無料	free of charge	免费	무료	miễn phí
使います[使う]	to use	使用	씁니다[쓰다]	sử dụng
市内	in town/ within the city limits	市内	시내	trong thành phố
届けます[届ける]	send/ deliver	送到	배달합니다[배달하다]	gửi đến
方	person	人	분	anh/chị, ông/bà
市役所	city hall/ municipal office	市政府	시청	văn phòng hành chính thành phố
リサイクル係	recycling dept.	再利用部门	재활용 담당	nhân viên tái sinh
できるだけ	as ~ as possible (here: as cheap as possible)	尽量	가능한 한	cố gắng
お願いします	to ask/ entreat	希望	부탁드립니다	mong được sự giúp đỡ
取ります[取る]	pick up/ take	取	가집니다[가지다]	lấy
テニスラケット	tennis racket	网球拍	테니스 라켓	vợt ten-nít
ぐらい	about	左右	정도	khoảng
メーカー	maker	厂家	메이커	hãng sản xuất
どこでもいい	of no concern/ doesn't matter (here: any maker is fine)	不限厂家	어디든 상관없다	đâu cũng được
以下	under/ less than	以下	이하	dưới
貼ります[貼る]	to post	张贴	붙입니다[붙이다]	dán
メモ	memo/ notice	记录纸	메모	tờ giấy để ghi chép

⓬ たくさん遊びたい!!

遊びます[遊ぶ]	to play	游玩	놉니다[놀다]	chơi
施設	facility (here: amusement park)	设施	시설	cơ sở và thiết bị
案内・します[案内・する]	to guide/ give directions	介绍	안내・합니다[안내・하다]	hướng dẫn
展望台	observation platform/ deck	眺望台	전망대	lầu ngắm cảnh
景色	view/ scenery	景色	경치	phong cảnh
咲きます[咲く]	to bloom	(花)开	핍니다[피다]	nở
花	flower(s)	花	꽃	hoa
晴れます[晴れる]	to clear up (here: on a clear day)	晴	맑습니다[맑다]	trời nắng
見えます[見える]	to be able to see	看到	보입니다[보이다]	nhìn thấy

遊園地(ゆうえんち)	amusement park	游乐园	놀이공원	công viên vui chơi
大人(おとな)	adult(s)	成人	어른	người lớn
子(こ)ども	child(ren)	儿童	아이	trẻ con
みんなで	together/ with everyone	大家一起	다 같이	mọi người cùng
人気(にんき)	popular	人气	인기	sự hâm mộ
乗(の)り物(もの)	rides/ attractions	游乐车	어트랙션	tàu xe
ジェットコースター	roller coaster	过山车	롤러코스터	tàu lượn cao tốc
以上(いじょう)	above/ more than	以上	이상	trên
乗(の)ります[乗(の)る]	to ride	乘	탑니다(타다)	đi
～券(けん)	ticket(s)	～票	－표	vé～
インフォメーションセンター	information center	问讯处	인포메이션 센터	trung tâm thông tin
コーヒーショップ	coffee shop	咖啡店	커피숍	quầy cà phê
売(う)ります[売(う)る]	to sell	卖	팝니다[팔다]	bán
～枚(まい)	piece (counter for flat objects)	～张	－장	～cái
世界(せかい)	world	世界	세계	thế giới
いろいろ(な)	various (a variety)	各种各样(的)	다양(다양한)	nhiều
デザート	dessert	甜点	디저트	món tráng miệng
食(た)べ放題(ほうだい)	all-you-can-eat	自助餐	뷔페, 무제한 리필	ăn thỏa thích
オープンカフェ	open-air café	开放式咖啡店	오픈 카페	cà phê ngoài trời
フラワーガーデン	flower garden	花园	플라워 가든	vườn hoa
一年中(いちねんじゅう)	all year	一年四季	일년 내내	quanh năm
方(かた)	person	人	분	anh/chị, ông/bà
チューリップ	tulip(s)	郁金香	튤립	hoa tuy-líp
コスモス	cosmos(es)	大波斯菊	코스모스	hoa cúc vạn thọ tây
温泉(おんせん)	hot spring	温泉	온천	suối nước nóng
入(はい)ります[入(はい)る]	to enter	进入	들어갑니다[들어가다]	vào
タオル	towel	毛巾	수건	khăn tắm
有料(ゆうりょう)	charged	收费	유료	phải trả tiền
露天風呂(ろてんぶろ)	open-air/ outdoor hot spring	露天浴场	노천탕	bồn tắm ngoài trời
リラックス・します[リラックス・する]	to relax	放松	릴랙스・합니다[릴랙스・하다]	thư dãn
おすすめ	recommendation	推荐	추천	cái giới thiệu cho khách
マッサージ・します[マッサージ・する]	to massage	按摩	마사지・합니다[마사지・하다]	mát-xa
サイクリングコース	cycling path/ course	自行车路线	사이클링 코스	đường đi xe đạp
～用(よう)	for ~ (here: bicycles for adults, for children, for couples and parents)	～使用	－용	dùng để～
カップル	couples	情侣	커플	đôi trai gái
親子(おやこ)	parents	父母和子女	부모와 아이	bố mẹ và trẻ con

用意・します[用意・する]	to prepare/ set up/ have ready	准备	준비・합니다[준비・하다]	chuẩn bị
受付・します[受付・する]	to register/ sign up for	受理	접수・합니다[접수・하다]	tiếp tân
お土産ショップ	souvenir/ gift shop	土产店	기념품숍	quầy bán quà
荷物	baggage/ goods (here: gifts)	货物	짐	đồ đạc
送ります[送る]	to send	寄送	보냅니다[보내다]	gửi

❸ 地震が来る前に

地震	earthquake	地震	지진	động đất
準備・します[準備・する]	to prepare	准备	준비・합니다[준비・하다]	chuẩn bị
～たらいい	what is the right/ best thing to do?	～才好	-면 좋다	nên～
来ます[来る]	to come (here: occur)	到来	옵니다[오다]	đến
～前に	before/ prior to	～之前	-기 전에	trước～
～区	ward/ district/ section	～区	-구	quận～
お知らせ	notification	通知	알림	thông báo
安全に	safe(ly)	安全地	안전하게	an toàn
安心・します[安心・する]	to be reassured/ to feel at ease	放心	안심・합니다[안심・하다]	yên tâm
暮らします[暮らす]	to live (as in daily life)	生活	삽니다[살다]	sống
～ために	for the purpose of ～/ in order to ～	为了～	-기 위해	để cho～
チェックポイント	checklist	检查要点	체크 포인트	điểm kiểm tra
家具	furniture	家具	가구	đồ dùng nội thất
電化製品	electrical appliance store	家电产品	가전제품	sản phẩm điện tử
倒れます[倒れる]	to fall over	倒	쓰러집니다[쓰러지다]	đổ
割れます[割れる]	to break	碎	깨집니다[깨지다]	vỡ
～分	amount (here: 3 days' worth)	～量	-분	phần～
あめ	candy	糖果	사탕	kẹo
役に立ちます[役に立つ]	to be useful	有帮助	도움이 됩니다[도움이 되다]	có ích
ペットボトル	plastic bottle	塑料瓶	페트병	chai nhựa
懐中電灯	a flashlight	手电筒	손전등	đèn pin
連絡・します[連絡・する]	to contact/ get in touch with	联系	연락・합니다[연락・하다]	liên lạc
管理人	manager	管理员	관리인	người quản lí
近所	neighborhood	街坊邻居	이웃	hàng xóm
すぐに	immediately	马上	바로	ngay
災害用伝言ダイヤル	disaster emergency message dial	灾害时用留言拨号	재해용 메시지 다이얼	đường dây nhắn tin khi có thiên tai hỏa hoạn
避難・します[避難・する]	to evacuate	避难	피난・합니다[피난・하다]	lánh nạn
そば	next to	旁边	옆	bên cạnh
大切(な)	important	重要(的)	귀중(귀중한)	quan trọng

通帳(つうちょう)	bankbook	存折	통장	sổ ngân hàng
印鑑(いんかん)	name stamp/ seal	印章	도장	con dấu
健康保険証(けんこうほけんしょう)	health insurance card	健康保险证	건강보험증	thẻ bảo hiểm y tế
キャッシュカード	ATM card/ cash card	提款卡	캐시카드	thẻ ngân hàng
利用(りよう)・します[利用(りよう)・する]	to use	利用	이용・합니다[이용・하다]	sử dụng
方法(ほうほう)	method/ how to ~	方法	방법	phương pháp
録音(ろくおん)・します[録音(ろくおん)・する]	to record	录音	녹음・합니다[녹음・하다]	ghi âm
~秒(びょう)	second(s)	~秒	一초	~giây
~個(こ)	piece (counter for objects)	~个	一개	~lần
消(き)えます[消(き)える]	to disappear/ to be erased	消失	지어집니다[지어지다]	tắt
PHS	Personal Handy phone System	小灵通	PHS전화	PHS
公衆電話(こうしゅうでんわ)	public telephone	公用电话	공중전화	điện thoại công cộng
使(つか)います[使(つか)う]	to use	使用	씁니다[쓰다]	sử dụng
練習(れんしゅう)・します[練習(れんしゅう)・する]	to practice	练习	연습・합니다[연습・하다]	luyện tập
災害伝言板(さいがいでんごんばん)	disaster message board	灾害布告牌	재해 메시지판	bảng nhắn tin khi có thiên tai hỏa hoạn
チェック・します[チェック・する]	to check	注意	체크・합니다[체크・하다]	kiểm tra
考(かんが)えます[考(かんが)える]	to think	考虑	생각합니다[생각하다]	nghĩ

⑭ いいプールを探(さが)そう

探(さが)す	to search/ look for	寻找	찾다	tìm
スポーツ施設(しせつ)	sports facility/ gym	运动设施	운동시설	cơ sở và thiết bị thể thao
~区立(くりつ)	ward administered	区立~	一구립	của quận~
温水(おんすい)プール	heated pool	温水游泳池	온수수용장	bể bơi nước ấm
以上(いじょう)	above/ more than	以上	이상	trên
利用(りよう)・する	to use	利用	이용・하다	sử dụng
定休日(ていきゅうび)	closed (regularly scheduled holidays)	定休日	정기 휴일	ngày nghỉ quy định
徒歩(とほ)	by foot/ walking	徒步	도보	đi bộ
スライダー	slide	滑水台	미끄럼대	cầu trượt
サウナ	sauna	桑拿	사우나	xông hơi
あり	available	有	있음	có
クチコミ	word-of-mouth	口传	입소문	truyền miệng
女性(じょせい)	girl(s)/female(s)	女性	여성	nữ giới
~代(だい)	a span of time (here: female in her 20s, 30s/ male in his 20s)	~年龄段	一대	độ tuổi~
混(こ)む	to be crowded	拥挤	붐비다	đông
他(ほか)	other	其他	다른	ngoài ra
月(つき)	month	月	달	tháng

平日 (へいじつ)	weekday	平日	평일	ngày thường
すく	not crowded	空荡	비다	ít người
おすすめ	recommendation	推荐	추천	cái giới thiệu cho khách
しっかり	firm (here: proper)	好好儿地	충분히	chắc chắn
トレーニング・する	to train/ work out	锻炼	트레이닝・하다	tập luyện
並ぶ (なら)	to line up	排队	줄 서다	xếp hàng
また	also	另外	또	ngoài ra
ロッカー	locker(s)	更衣柜	사물함	tủ khóa
男性 (だんせい)	male(s)	男性	남성	nam
以外 (いがい)	except	以外	이외	ngoài
リラックス・する	to relax	放松	릴랙스・하다	thư dãn
サイト	site (here: website)	网站	사이트	địa chỉ trên mạng
調べる (しら)	to investigate	查阅	알아보다	tìm hiểu

❶⓯ 日本語でつぶやき♪

ツイッター	twitter	推特	트위터	twitter
つぶやき	tweet	跟帖	트윗	lời nói một mình
えーん	mimetic word: crying	呜—	엥	ôi
すごい	amazing	非常	엄청나다	ghê
大雨 (おおあめ)	heavy rain	大雨	큰비	mưa to
どうしよう	What should I do?	怎么办	어떡해	làm thế nào
台風 (たいふう)	typhoon	台风	태풍	bão
近づく (ちか)	to approach/ draw near	接近	다가오다	đến gần
休校 (きゅうこう)	cancel school	停课	휴교	nghỉ học
場合 (ばあい)	in the case that	～的话	경우	trường hợp
担当 (たんとう)	person in charge	负责	담당	phụ trách
連絡網 (れんらくもう)	telephone tree	联络网	연락망	mạng liên lạc
順番 (じゅんばん)	order (here: in the order listed on the telephone tree)	依次	차례	thứ tự
十分に (じゅうぶん)	sufficient	充分地	충분히	đủ
気をつける (き)	to be careful/ take care	注意	조심하다	cẩn thận
登校・する (とうこう)	to go to school	到校	등교・하다	đến trường
～周年 (しゅうねん)	~ year anniversary	～周年	－주년	(kỷ niệm) ~năm
感謝セール (かんしゃ)	Thank-you sale	大酬宾	감사세일	bán giảm giá cám ơn
半額 (はんがく)	half-price	半价	반액	giảm giá một nửa
キャンペーン	campaign	推销活动	캠페인	chiến dịch
～中 (ちゅう)	currently happening	～期间	－중	đang~

選ぶ	to choose/ select	选择	고르다	chọn
飲み放題	all-you-can-drink	自助餐舍酒水	음료수 무제한 리필	uống miễn phí
～付き	included	含～	-포함	kèm theo~
来日・する	to come to/ visit Japan	来日本	일본 방문・하다	đến Nhật
記念	memorial/ commemorative	纪念	기념	kỷ niệm
ポスター	poster	海报	포스터	tờ áp-phích
販売・する	to sell	出售	판매・하다	bán
ツイート	tweet	推文	트윗	twit
関係がある	to be related/ connected	有关联	관계가 있다	có quan hệ
つぶやく	to mutter	跟贴	중얼거리다	nói một mình

⓰ 日帰りバスツアーに行こう！

バスツアー	bus tour	巴士团体旅游	버스 투어	du lịch xe buýt
日帰り	day trip	一日游	당일치기	trong ngày
～プラン	plan	～计划	-플랜	kế hoạch~
すべて	all	全部	전부	tất cả
回る	turn around (here: visit)	周游	돌다	vòng
ハイライト	highlight	亮点	하이라이트	tóm tắt
コース	course/ route	路线	코스	tua
昭和	Showa (here: the 33rd year of the reign of Emperor Hirohito)	昭和(日本昭和天皇裕仁在位63年期间所使用的年号。)	쇼와 (일본 고유의 연대 중의 하나)	Chiêu Hòa (niên hiệu dưới thời Thiên Hoàng Hirohito)
平成	Heisei (here: the 24th year of the reign of Emperor Akihito)	平成(现已在位25年的日本平成天皇明仁所使用的年号)	헤이세이 (일본 고유의 연대 중의 하나)	Bình Thành (niên hiệu dưới thời Thiên Hoàng Akihito)
オープン・する	to open (for business/ to the public)	开业	오픈・하다	mở
形	shape/ form	外形	모양	hình
高さ	height	高度	높이	chiều cao
色	color	颜色	색	màu sắc
違う	different	不同	다르다	khác
昔	in the past	从前	옛날	ngày xưa
シンボルタワー	symbol (here: the tower that symbolized Tokyo)	象征塔	심벌 타워 (도쿄를 상징하는 탑)	tháp biểu tượng
比べる	to compare/ contrast	比较	비교하다	so sánh
名所	famous spot	名胜	명소	nơi nổi tiếng
案内・する	to guide/ to show around	介绍	안내・하다	hướng dẫn
お土産	souvenir	土产	기념품	quà
得(な)	profitable (here: special value)	合算	이득(이득을 보는)	rẻ, hời
クーポン券	coupon	优惠券	쿠폰	phiếu coupon
プレゼント	present	赠送	선물	quà
東京湾	Tokyo Bay	东京湾	도쿄만	vịnh Tokyo

クルーズ	cruise	船旅	크루즈	du thuyền ngắm cảnh
料金	price	费用	요금	giá tiền
運行日	days operating	运行日	운행일	ngày hoạt động
発着地	departs from - returns to	起止地	발착지	nơi xuất phát và đến
出発	departure time	出发	출발	xuất phát
終了	return	结束	종료	kết thúc
予定	scheduled	预定	예정	dự định
歴史	history	历史	역사	lịch sử
江戸	Edo (now Tokyo)	江户(现在的东京)	에도(도쿄의 옛 이름)	Edo (tên cũ của Tokyo)
市場	market	市场	시장	cái chợ
新鮮(な)	fresh	新鲜(的)	신선(신선한)	tươi
種類	type(s)	种类	종류	chủng loại
楽しむ	to enjoy	享受	즐기다	vui
エビ	shrimp	虾	새우	con tôm
仕入れる	to stock (here: purchase)	采购	사들이다	nhập
地元	local	当地	고장	địa phương
季節	season (al)	时令	계절	mùa
散策・する	promenade/ walk	散步	산책・하다	đi dạo
和菓子	Japanese sweets	日式点心	일본과자	bánh kẹo Nhật
体験・する	to experience	体验	체험・하다	trải nghiệm
平日のみ	weekdays only	只限平日	평일만	chỉ ngày nghỉ
申し込む	to apply	报名	신청하다	đăng ký
和食	Japanese food	日餐	일식	món ăn Nhật
参加・する	to participate/ to join in	参加	참가・하다	tham gia
理由	reason	理由	이유	lí do

❼ 学校のホームページ

ホームページ	homepage	网页	홈페이지	trang nhà
学校法人	incorporated educational institution	学校法人	학교법인	pháp nhân trường học
見学・する	to view/ visit/ have a look	参观	견학・하다	tham quan
アクセス	access	交通	오시는 길	đi đến
問い合わせ	information/ inquiries	询问	문의	hỏi
国際人	international person	国际人	국제인	con người quốc tế
育てる	to raise	培养	키우다	đào tạo
就職率	employment rate	就业率	취업률	tỷ lệ đi làm
専門学校	vocational school/ college	专科学校	전문학교	trường trung cấp dạy nghề

オープンキャンパス	open campus	开放校园	오픈캠퍼스	giảng đường mở cửa
体験入学(たいけんにゅうがく)	trial enrollment (here: sample classes)	体验入学	체험입학	trải nghiệm nhập học
コース	program	课程	코스	khóa
世界中(せかいじゅう)	from around the world	全世界	온 세계	khắp thế giới
入学(にゅうがく)・する	to enroll	入学	입학・하다	nhập học
自分(じぶん)	self (here: one's own)	自己	자기	bản thân
目的(もくてき)	goal	目的	목적	mục đích
合(あ)わせる	to match	按照	맞추다	phù hợp
生活(せいかつ)	life (here: school life)	生活	생활	cuộc sống sinh hoạt
送(おく)る	send (here: spend/ have)	度过	보내다	gửi
さまざま(な)	a range of/ various	各种各样(的)	다양(다양한)	nhiều
サポート・する	to support/ to provide support	援助	지원・하다	hỗ trợ
制度(せいど)	system	制度	제도	chế độ, hệ thống
特色(とくしょく)	distinctive feature/ characteristic	特色	특색	đặc thù
魅力(みりょく)	attraction/ appeal	魅力	매력	sự hấp dẫn
何(なん)といっても	after all/ when all is said and done	无论怎么说	뭐니뭐니 해도	đầu tiên phải nói là
高(たか)さ	height (here: high rate)	高	높이	chiều cao
合(あ)う	to fit	适合	맞다	hợp
探(さが)す	to search/ look for	寻找	찾다	tìm
アドバイス・する	to advise/ to give advice	建议	조언・하다	khuyên
面接(めんせつ)・する	to interview	面试	면접・하다	phỏng vấn
就職(しゅうしょく)・する	to get a job	就业	취직・하다	đi làm
しっかり	firm	大力地	확실히	chắc chắn
卒業後(そつぎょうご)	following graduation	毕业后	졸업 후	sau khi tốt nghiệp
相談(そうだん)・する	to consult	咨询	상담・하다	tư vấn
現場(げんば)	site	现场	현장	hiện trường
体験(たいけん)・する	to experience	体验	체험・하다	trải nghiệm
在学中(ざいがくちゅう)	at school/ while enrolled	在校期间	재학중	trong khi đang học
学(まな)ぶ	to learn	学习	배우다	học
実際(じっさい)	actual	实际	실제	thực tế
チャンス	chance	机会	기회	cơ hội
役(やく)に立(た)つ	to be useful	有帮助	도움이 되다	có ích
資格(しかく)	license/ certificate/ diploma	资格	자격	chứng chỉ
将来(しょうらい)	the future	将来	장래	tương lai
～年制(ねんせい)	~ year system (here: 4-year university/ bachelor degree)	～年制	-년제	chế độ ~năm
学科(がっか)	academic department	专业	학과	ngành

総合	general	综合	종합	tổng hợp
経営・する	to manage/ operate	经营	경영・하다	kinh doanh
国際的	international	国际的	국제적	mang tính quốc tế
実習・する	practical training	实习	실습・하다	thực tập
フィールドワーク	fieldwork	实地调查	필드 워크	điều tra thực tế
経験・する	to experience	经验	경험・하다	trải qua
行動・する	to perform/ do	行动	행동・하다	hành động
開く	to open/ start a business	开业	열다	mở
ノウハウ	know-how	秘诀	노하우	kỹ năng
時代	the times	时代	시대	thời đại
流行・する	to spread/ be a trend	流行	유행・하다	thịnh hành
敏感(な)	sensitive	敏感(的)	민감(민감한)	nhạy cảm
パソコンスキル	computer skill	电脑技巧	피시 스킬	kỹ năng máy vi tính
ビジネスマナー	business manner	商务礼仪	비즈니스 매너	văn hóa kinh doanh
社会人	a working adult	社会成员	사회인	người trưởng thành
コミュニケーション能力	communication skills	交流能力	커뮤니케이션 능력	năng lực giao tiếp
身に付ける	to acquire/ learn	掌握	지니다	tạo cho mình
他	other	其他	다른	ngoài ra
情報処理	data/ information processing	信息处理	정보처리	xử lí thông tin
目指す	to head for/ aim at	作为目标	목표로 하다	nhằm tới
合格率	pass rate	合格率	합격률	tỷ lệ đỗ
雑貨	variety store	杂货	잡화	tạp hóa
探す	to search/ look for	寻找	찾다	tìm

⑱ 振替輸送

動く	to move	运行	움직이다	chuyển động
振替輸送	transfer (to alternative transportation)	转运	대체 수송	vận chuyển thay thế
利用・する	to use	利用	이용・하다	sử dụng
無料	free of charge	免费	무료	miễn phí
他	other	其他的	다른	khác
乗車券	train/ bus ticket	车票	승차권	vé đi tàu
振替乗車券	transfer ticket	转运车票	대체 수송 승차권	vé đi tàu thay thế
必要(な)	required/ necessary	必要(的)	필요(필요한)	cần
行き先	destination	目的地	목적지	điểm đến
金額	fare/ price	金额	금액	số tiền
普通	standard/ regular/ normal	普通	보통	thông thường

回数乗車券	commuter/ multi-ride ticket	本票	회수승차권	vé đi tàu mua nhiều
定期券	commuter pass	月票	정기권	vé tháng
改札口	ticket gate	检票口	개찰구	cửa soát vé
通る	pass (through, by, along)	通过	통과하다	đi qua
Suicaカード	Suica card (rechargeable fare card)	Suica卡	스이카카드 (충전식 교통카드)	thẻ Suica
PASMOカード	PASMO card (rechargeable fare card)	PASMO卡	파스모카드 (충전식 교통카드)	thẻ PASMO
切符	ticket	车票	표	vé
私鉄	railway company	民营铁路	민영 철도	đường sắt tư nhân
ポスター	poster	告示	포스터	tờ áp-phích
サービス	service	服务	서비스	dịch vụ

⓴ 飲み会に来る？ 来ない？

返信・する	to reply	回(短)信	답장・하다	gửi thư trả lời
飲み会	a drinking party	聚餐	회식 모임	buổi ăn uống
連絡・する	to contact/ get in touch with	联系	연락・하다	liên lạc
帰国・する	to return to one's country	回国	귀국・하다	về nước
都合	circumstances/ convenience	方便	참가 여부	điều kiện
参加・する	to participate/ join in	参加	참가・하다	tham gia
知らせる	to inform/ let someone know	通知	알리다	thông báo
実は	to tell the truth/ as a matter of fact	老实说	사실은	có chuyện thế này
バイト	part-time job	钟点工	알바	việc làm thêm
急に	suddenly	突然地	갑자기	đột xuất
辞める	retire/ quit	辞去	그만두다	thôi
もっと	more	更	더욱	hơn nữa
困る	to be troubled/ have a hard time	为难	곤란하다	gặp vấn đề
久しぶりに	for the first time in a while	好久	오랜만에	lâu lắm
時間どおり	on time	按时	시간대로	đúng giờ

⓴ 薬の説明書

説明書	instructions/ directions	说明书	설명서	văn bản giải thích
内服	for internal use	口服	내복	uống thuốc
毎食後	after every meal	饭后	매식후	sau mỗi bữa ăn
～分	amount (here: 3 days' worth)	～量	－분	~phút
～錠	tablet(s)	～片	－알	~viên
熱	fever	烧	열	nhiệt (độ)
上がる	to rise/ increase	上升	올라가다	tăng lên

下がる	to lower/ decrease/ reduce	下降	내려가다	giảm đi
飲み続ける	to continue taking	持续服用	계속 먹다	uống liên tục
眠い	sleepy	困倦	졸다	buồn ngủ
危険(な)	danger(ous)	危险(的)	위험(위험한)	nguy hiểm
噛む	to bite/ chew	嚼	씹다	nhai
つぶす	crush/ smash	捣碎	부수다	nghiền nát
アレルギー	allergy	过敏性疾病	알레르기	dị ứng
治す	cure	治疗	치료하다	chữa khỏi
せき	cough	咳嗽	기침	ho
くしゃみ	sneeze	打喷嚏	재채기	hắt hơi
鼻水	runny nose	鼻涕	콧물	nước mũi
症状	symptom(s)	症状	증상	bệnh trạng
抑える	reduce	抵抗	억제하다	hạn chế
判断・する	to judge	判断	판단・하다	phán đoán
医師	physician	医生	의사	bác sĩ
相談・する	to consult	咨询	상담・하다	tư vấn
痛み	pain	疼痛	아픔	đau
炎症	inflammation	炎症	염증	viêm
治まる	reduce/ stop	消除	진정되다	khỏi
やめる	stop (here: stop taking)	停止服用	그만 먹다	thôi
結構(な)	fine/ alright	可以	괜찮음(괜찮은)	được
妊娠・する	to become pregnant	怀孕	임신・하다	có thai
可能性	possibility	可能性	가능성	khả năng
赤ちゃん	baby	婴儿	아기	trẻ sơ sinh
母乳	breast milk	母乳	모유	sữa mẹ
治る	to recover/ get well	治疗	낫다	khỏi bệnh

㉑ 鍵をかけよう、声をかけよう

鍵をかける	to lock	上锁	문을 잠그다	khóa cửa
声をかける	to call/ talk to	打招呼	말을 걸다	gọi, mời
力	strength/ power	力量	힘	sức
安全(な)	safety (safe)	安全(的)	안전(안전한)	an toàn
守る	protect	保护	지키다	bảo vệ
防犯対策課	crime prevention measures section	防盗措施课	방범대책과	phòng giải pháp chống tội phạm
心がけ	attention/ care	注意	마음가짐	lưu tâm
短時間	short time/ period	短时间	짧은 시간	khoảng thời gian ngắn

玄関	entry hall	大门	현관	cửa ra vào
ネット	net	网	망	lưới
ひったくり	purse-snatching	抢东西	날치기	cướp giật
遭う	meet (here: fall victim to)	遇上	당하다(사고 등)	gặp
かご	basket	筐	바구니	cái rổ
防犯ネット	security net	防盗网	방범망	lưới phòng cướp
反対・する	to oppose (here: opposite/ opposing)	相反	반대・하다	phản đối
～側	side	～边	―쪽	phía～
ショルダーバッグ	shoulder bag	挎包	숄더백	túi đeo vai
通行・する	pass	通行	통행・하다	đi
肩にかける	to carry/ hold over the shoulder	挎在肩上	어깨에 걸치다	đeo ở vai
近所	neighborhood	街坊邻居	이웃	hàng xóm
あいさつ・する	to greet	问候	인사・하다	chào hỏi
登下校	to and from school	上下学	등하교	đến trường và tan trường
地域	(local) area	地区	지역	khu vực
つながり	connection	联系	유대감	mối liên hệ
犯罪	crime	犯罪	범죄	tội phạm
起こる	to occur/ happen	发生	일어나다	xảy ra
効果	effect	效果	효과	hiệu quả

❷❷ ポストに入っていたお知らせ

大雨	heavy rain	大雨	큰비	mưa to
火事	fire	火灾	불	hỏa hoạn
ポスト	mail box	邮箱	우편함	hòm thư
災害	disaster	灾害	재해	thiên tai hỏa hoạn
自分	oneself	自己	자기	bản thân
守る	protect	保护	지키다	bảo vệ
空気	air	空气	공기	không khí
乾燥・する	to become dry	干燥	건조・하다	khô
発生・する	to occur	发生	발생・하다	phát sinh
燃える	to burn	燃烧	타다	cháy
ストーブ	stove/ heater	火炉	난로	lò sưởi
電気器具	electrical appliance(s)	电气器具	전기기구	thiết bị điện
洗濯物	laundry	洗好的衣服	세탁물	quần áo giặt
乾かす	to dry	晾干	말리다	phơi, sấy
灰皿	ashtray	烟灰缸	재떨이	cái gạt tàn

離れる		to separate from/ to distance oneself from (here: leave)	离开	떨어지다	rời xa
近所		neighborhood	街坊邻居	이웃	hàng xóm
必ず		without fail	一定	꼭	nhất định
通報・する		report	通报	통보・하다	thông báo
消火器		fire extinguisher	灭火器	소화기	bình cứu hỏa
座布団		cushion	坐垫	방석	đệm ngồi
地震		earthquake	地震	지진	động đất
起きる		occur/ hit	发生	나다	xảy ra
イメージ・する		to imagine	想像	이미지・하다	tưởng tượng
落ち着く		to calm down	镇静	진정하다	bình tĩnh
家具		furniture	家具	가구	đồ dùng nội thất
ガス		gas	煤气	가스	ga
元栓		main valve	总开关	개폐장치	van khóa
塀		wall/ fence	墙	담	hàng rào
狭い		narrow	狭窄的	좁다	hẹp
広い		wide	宽广的	넓다	rộng
気をつける		to be careful/ take care	注意	주의하다	cẩn thận
大量		large	大量	대량	lượng lớn
集中豪雨		localized torrential rain/ downpour	集中暴雨	집중호우	mưa to tập trung
地下		underground	地下	지하	dưới lòng đất
地上		above ground	地上	지상	trên mặt đất
建物		building/ structure	建筑物	건물	nhà cửa
避難・する		evacuate	避难	피난・하다	lánh nạn
ブレーカー		circuit breaker	电闸	브레이커	cầu giao điện
防災訓練		disaster drill	防灾训练	방재훈련	diễn tập phòng thiên tai hỏa hoạn
行う		to do/ hold/ have	进行	하다	tiến hành
揺れ		shake	摇晃	흔들림	dao động
体験・する		to experience	体验	체험・하다	trải nghiệm
つぶやき		tweet	跟贴	중얼거림	lời nói một mình
情報		information	信息	정보	thông tin

㉓ お悩み解決！

どうしよう		what to do/ What should (I, we) do?	怎么办	어떡해	làm thế nào
悩み		worry/ trouble	烦恼	고민	điều lo lắng
解決・する		to resolve	解决	해결・하다	giải quyết
気をつける		to be careful/ take care	注意	주의하다	cẩn thận

敷金	security deposit	押金	보증금	tiền đặt cọc
礼金	key money	礼金	사례금	tiền lễ
直す	repair	修理	고치다	sửa
大家	landlord	房东	집 주인	chủ nhà
世話になる	to be in someone's debt/ to have been helped by someone	受关照	신세를 지다	được giúp đỡ
お礼	show of appreciation/ thanks	谢意	사례	lời/quà cám ơn
だいたい	generally/ for the most part	大概	대충	khoảng
家賃	rent	房租	집세	tiền thuê nhà
最初に	at first/ to begin with	最初	처음에	đầu tiên
交通費	transportation expenses/ fare	交通费	교통비	phí giao thông
節約・する	to reduce/ conserve/ save	节约	절약・하다	tiết kiệm
ホームセンター	home improvement center/ hardware store/ DIY store	建材超市	홈센터	trung tâm nhà
登録・する	to register/ sign up	登录	등록・하다	đăng ký
理容室	barber shop/ stylist	理发店	이용실	hiệu làm đẹp
床屋	barber shop/ stylist	理发店	이발소	hiệu tóc
美容室	hair salon/ stylist	美容店	미용실	hiệu làm đẹp
区別・する	to distinguish (from/ between)	区别	구별・하다	phân biệt
ひげ	beard	胡须	수염	râu
そる	to shave	刮	깎다	cạo
カット	cut	剪	컷	cắt
カビ	mold/ mildew	霉	곰팡이	nấm mốc
生える	to grow	发	슬다	phát sinh
換気・する	to ventilate	通风	환기・하다	thông khí
殺菌・する	to disinfect/ sterilize	杀菌	살균・하다	giệt khuẩn
濡れる	to become moist/ wet	淋湿	젖다	ướt
ぞうきん	a cloth/ rag	抹布	걸레	khăn lau
乾く	to dry	干燥	마르다	khô
拭く	wipe	擦	닦다	lau
役に立つ	to be useful	有帮助	도움이 되다	có ích
情報	information	信息	정보	thông tin
記事	article (here: section or question)	报导	기사	bài viết
話し合う	to talk/ discuss	商量	의논하다	bàn bạc
解決策	solution	解决办法	해결책	biện pháp giải quyết

㉔ 電車やバスの中で見た注意書き

背中	a back	背	등	lưng

リュック	back bag/ rucksack	双肩背包	배낭	ba lô
手荷物	hand baggage	随身行李	수하물	hành lí xách tay
網棚	net rack	行李架	그물선반	giá để hành lí
マナーモードに設定の上	set to silent mode/ vibrate	在设定振动模式后	진동으로 설정하여	cài chế độ không tiếng
通話・する	to telephone	通话	통화・하다	nói chuyện điện thoại
ご遠慮ください	please refrain from	请勿(提示对方禁止做某事时的委婉的表达方式)	삼가 주십시오	không làm
席	seat	座位	자리	chỗ ngồi
発車・する	to start/ depart	发车	출발・하다	tàu xuất phát
まぎわ	just before	快要〜之前	직전	sát
かけこみ乗車	rush to board	(在电车要关门时)挤上车	뛰어들어 타는 일	nhảy lên tàu sắp chuyển bánh
危険(な)	danger(ous)	危险(的)	위험(위험한)	nguy hiểm
やめる	to stop/ give up	放弃	말다	không làm
オフピーク通勤・通学	commute to work and school during off-peak times	非高峰时段的通勤・上学	오프피크 통근・통학	giờ ngoài cao điểm
通勤・する	to go to work	通勤	통근・하다	đi làm
通学・する	to go to school	上学	통학・하다	đi học
利用・する	to use	利用	이용・하다	sử dụng
到着・する	to arrive	到达	도착・하다	đến
大変	very/ terribly	非常	몹시	rất
混雑・する	to be congested	拥挤	혼잡・하다	chen chúc
時間帯	time period	时段	시간대	khoảng thời gian
避ける	to avoid	避开	피하다	tránh
車両	car/ coach/ carriage	车厢	차량	toa tàu
〜号車	car number 〜	〜号车厢	−호차	toa số〜
少しでも	even just a little	即使很少	조금이라도	càng〜 càng tốt
選ぶ	to choose/ select	选	고르다	chọn
協力・する	to cooperate	合作	협력・하다	hợp tác
普段	usual(ly)	平时	평상시	bình thường

㉕ 入学試験の準備〜出願書類〜

出願書類	application documents	申请资料	출원서류	hồ sơ đăng kí
出願・する	to apply/ submit an application	提出申请	출원・하다	nộp đơn
手続き	procedure/ steps	手续	수속	thủ tục
書類	document	资料	서류	hồ sơ, giấy tờ
提出上	for submission/ when submitting	在提交上	제출상	khi nộp
すべて	all	全部	전부	tất cả
または	or	或者	혹은	hoặc là

提出・する	ていしゅつ・する	to submit/ hand in	提交	제출・하다	nộp
以外	いがい	except (here: in languages other than)	以外	이외	ngoài
言語	げんご	language	语言	언어	ngôn ngữ
場合	ばあい	case/ in the case	～的话	경우	trường hợp
訳文	やくぶん	translation	译文	번역문	văn bản dịch
つける		to attach	附上	같이 내다	kèm theo
返却・する	へんきゃく・する	to return/ send back	退还	반납・하다	trả lại
使用・する	しよう・する	to use	使用	사용・하다	sử dụng
正確（な）	せいかく（な）	correct/ proper	正确（的）	정확（정확한）	chính xác
記入・する	きにゅう・する	to enter/ write	填写	기입・하다	viết vào
不足・する	ふそく・する	to be insufficient/ lacking/ incomplete	遗漏	부족・하다	thiếu
わからない点	わからないてん	points that are not clear (here: If you have any questions)	不明之处	모르는 부분	điểm không rõ
事前	じぜん	prior to/ in advance	事前	사전	trước
問い合わせる	といあわせる	to ask/ inquire	询问	문의하다	hỏi
志願票	しがんひょう	application form	志愿书	지원표	đơn xin
本学所定用紙	ほんがくしょていようし	the forms designated by the school	本校指定的表格	본학 소정용지	giấy do trường quy định
本人	ほんにん	the individual him/ herself (here: the applicant)	本人	본인	bản thân người đó
脱帽	だつぼう	without a hat/ cap	脱帽	탈모	bỏ mũ
正面	しょうめん	facing front/ frontal view	正面	정면	chính diện
背景	はいけい	background	背景	배경	bối cảnh
以内	いない	within	以内	이내	trong
撮影・する	さつえい・する	to photograph	拍照	촬영・하다	chụp ảnh
縦	たて	height	长	세로	dọc
横	よこ	width	宽	가로	ngang
所定	しょてい	designated	指定	소정	quy định
箇所	かしょ	place	地方	장소	chỗ
以上	いじょう	above/ more than	以上	이상	trên
最終出身学校	さいしゅうしゅっしんがっこう	the last school you graduated from	最终毕业学校	최종출신학교	trường học sau cùng
卒業証明書	そつぎょうしょうめいしょ	certificate of graduation	毕业证明书	졸업증명서	giấy chứng nhận tốt nghiệp
成績証明書	せいせきしょうめいしょ	transcripts	成绩证明书	성적증명서	giấy chứng kết quả học tập
原本	げんぽん	original	原本	원본	bản gốc
大使館	たいしかん	embassy	大使馆	대사관	đại sứ quán
公的機関	こうてききかん	public/ official institution	政府机关	공적기관	cơ quan công
証明・する	しょうめい・する	verify/ attest	证明	증명・하다	chứng nhận
複製・する	ふくせい・する	to copy	复印	복제・하다	sao chụp
氏名	しめい	name	姓名	성명	họ và tên

国籍(こくせき)	nationality/ citizenship	国籍	국적	quốc tịch
発行(はっこう)・する	to issue	交付	발행・하다	phát hành
記載(きさい)・する	to enter	记载	기재・하다	ghi trên
部分(ぶぶん)	part/ section	部分	부분	phần
日本留学試験(にほんりゅうがくしけん)	Examination for Japanese University Admission for International Students (EJU)	日本留学试验	일본유학시험	kỳ thi lưu học Nhật Bản
受験票(じゅけんひょう)	examination admission card/ ticket	准考证	수험표	phiếu dự thi
実際(じっさい)	actual	实际	실제	thực tế
受験(じゅけん)・する	to take/ sit an exam	报考	수험・하다	thi
確認(かくにん)・する	to check	确认	확인・하다	xác nhận
進学(しんがく)・する	to advance to the next stage in education	升学	진학・하다	học tiếp
希望(きぼう)・する	to desire/ hope	希望	희망・하다	nguyện vọng
進路(しんろ)	path/ route	去向	진로	con đường đi tiếp
取(と)り寄(よ)せる	to get/ obtain	函购	주문해서 가져오게 하다	nhờ gửi đến

㉖ 今度(こんど)行(い)くならこんなとこ！

とこ	place	地方	장소	nơi
観光地(かんこうち)	sightseeing spot/ area	旅游胜地	관광지	địa điểm du lịch
他(ほか)	other	其他	다른	khác
おすすめ	recommendation	推荐	추천	cái giới thiệu cho khách
伝統文化(でんとうぶんか)	traditional culture	传统文化	전통문화	văn hóa truyền thống
体験(たいけん)・する	to experience	体验	체험・하다	trải nghiệm
城下町(じょうかまち)	castle town	城堡城市	성을 중심으로 발달한 지역	phố phường trong lâu đài
玄関(げんかん)	entry hall (here: the gateway to)	大门	현관	cửa ra vào
ピチピチ	spunky, energetic (here: very fresh)	活蹦乱跳的	팔딱팔딱	tươi
自然(しぜん)	nature	自然	자연	thiên nhiên
豊(ゆた)か(な)	abundant/ fertile	丰富(的)	풍요(풍요로운)	giàu có
楽園(らくえん)	paradise	乐园	낙원	lạc viên
全国(ぜんこく)	the entire country	全国	전국	toàn quốc
行(おこな)う	to do/ hold/ have	举行	치르다	tiến hành
三大(さんだい)〜	the three big 〜	三大〜	삼대-	ba 〜 lớn nhất
伝統行事(でんとうぎょうじ)	traditional events/ activities	传统仪式	전통행사	nghi lễ truyền thống
米(こめ)	rice	大米	쌀	gạo
祈(いの)る	pray	祈祷	빌다	cầu, cúng
通(とお)り	street/ avenue	街道	거리	đại lộ
もち	rice cake	年糕	떡	bánh dày
焼(や)く	cook	烤	굽다	nướng

甘酒(あまざけ)	sweet drink made from fermented rice	糯米酒	감주	rượu ngọt
ライトアップ	lighted	点亮彩灯	야간조명, 일루미네이션	đèn chiếu sáng trang trí
最大級(さいだいきゅう)	the largest (scale/ class)	最大级	최대급	lớn nhất
ブナ	beech tree	山毛榉	너도밤나무	cây sồi
原生林(げんせいりん)	virgin forest	原始林	원생림	rừng nguyên sinh
残る(のこる)	to remain	保留	남다	còn lại
世界自然遺産(せかいしぜんいさん)	world natural heritage site	世界自然遗产	세계자연유산	di sản thiên nhiên thế giới
初級者(しょきゅうしゃ)	beginner	初级者	초급자	người mới học
～用(よう)	for ~	～用	－용	dùng để~
手軽(な)(てがる)	easy/ convenient	简单(的)	손쉬움(손쉬운)	dễ dàng
トレッキング	trekking	徒步穿越	트레킹	đi bộ leo núi
コース	course/ route	路线	코스	khóa
上級者(じょうきゅうしゃ)	advanced	高级者	상급자	người trình độ cao
登山(とざん)	mountain climbing/ mountaineering	登山	등산	leo núi
さまざま(な)	a range of/ various	各种各样(的)	다양(다양한)	nhiều
季節(きせつ)	season	时节	계절	mùa
滝(たき)	waterfall	瀑布	폭포	cái thác
ペース	pace	步调	페이스	tốc độ
決める(きめる)	to decide	确定	정하다	quyết định
ルール	rule	规则	규칙	luật
マナー	manners	礼貌	매너	cách ứng xử
守る(まもる)	to protect (here: abide by/ follow)	遵守	지키다	bảo vệ
楽しむ(たのしむ)	to enjoy	享受	즐기다	vui
ご当地グルメ(ごとうち)	local delicacy/ specialty	当地美食	그 지역의 맛있는 것들	món ăn ngon địa phương
地元(じもと)	local	本地	고장	địa phương
愛する(あいする)	to love	爱	사랑하다	yêu
麺(めん)	noodles	面条	면	mì
ソース	sauce	沙司	소스	nước sốt
目玉焼き(めだまやき)	egg fried sunny-side up	煎鸡蛋	계란프라이	trứng rán để nguyên lòng đỏ
載る(のる)	to put on	放在～上	얹다	được để lên trên
特徴(とくちょう)	special feature/ characteristic	特征	특징	đặc điểm
もちもち	springy	筋筋道道	쫄깃쫄깃	dẻo
～弁(べん)	dialect	～方言	－지방의 말	tiếng~
庭園(ていえん)	garden	园林	정원	vườn
～世紀(せいき)	century	～世纪	－세기	thế kỷ~
中期(ちゅうき)	middle/ mid	中期	중기	giữa thời kỳ

景色(けしき)	view/ scenery	景色	경치	phong cảnh
梅(うめ)	plum	梅树	매화나무	cây mơ
木々(きぎ)	trees	树林	나무들	cây cối
紅葉(こうよう)	autumn leaves	红叶	단풍	lá đỏ
最高(さいこう)	the best	最佳	최고	tuyệt vời
園内(えんない)	in/ inside the garden	园内	원내	trong vườn
抹茶(まっちゃ)	powdered green tea	抹茶	말차	trà bột
和菓子(わがし)	Japanese sweets	日式点心	일본과자	bánh kẹo Nhật
～として	as	作为～	―로서	với tư cách là～
発展・する(はってん)	to develop	发展	발전・하다	phát triển
伝統工芸(でんとうこうげい)	traditional crafts	传统工艺	전통공예	thủ công truyền thống
作品(さくひん)	product	作品	작품	tác phẩm
茶室(ちゃしつ)	tea ceremony room	茶室	다실	phòng trà
味わう(あじわう)	to taste/ get a taste of	品尝	맛보다	thưởng thức
作家(さっか)	author	作家	작가	nhà văn
職人(しょくにん)	craftsman	工匠	장인	nghệ nhân
鑑賞・する(かんしょう)	look at/ see	欣赏	감상・하다	thưởng thức
観光・する(かんこう)	to sightsee	旅游	관광・하다	thăm quan
ボランティア	volunteer	志愿者	자원봉사	tình nguyện viên
ガイド・する	to guide	导游	가이드・하다	hướng dẫn
案内・する(あんない)	to guide	介绍	안내・하다	hướng dẫn
現地(げんち)	local	当地	현지	nơi đó
おしゃべり・する	to talk/ converse	聊天儿	이야기・하다	nói chuyện
申し込み・する(もうしこみ)	to apply	报名	신청・하다	đăng ký
観光協会(かんこうきょうかい)	tourism bureau	旅游协会	관광협회	hiệp hội du lịch
意味(いみ)	meaning	意思	의미	ý nghĩa
架かる(かかる)	to span	架设	걸리다	bắc qua
通る(とおる)	to pass	通过	지나가다	đi qua
珍しい(めずらしい)	rare/ unusual	罕见的	드물다	hiếm lạ
すばらしい	fantastic/ wonderful	非常好	훌륭하다	tuyệt vời
昔(むかし)	in the past	从前	옛날	ngày xưa
ですから	so/ therefore	因此	그래서	vì thế
全然(ぜんぜん)	completely/ entirely	完全	전혀	hoàn toàn
つるつる	slippery/ smooth	柔滑	매끈매끈	trơn
島めぐり(しまめぐり)	to tour (the island)	周游全岛	섬돌기	đi quanh đảo
船(ふね)	boat	船	배	cái thuyền

キャンプ	camp	露营	캠프	cắm trại
芸術	art	艺术	예술	nghệ thuật
両方	both	两方面	양쪽	cả hai
飾る	to decorate	陈列	장식하다	trang trí
真ん中	center/ middle	正中间	중앙	chính giữa
火山	volcano	火山	화산	núi lửa
しばしば	often/ frequently/ repeatedly	屡次	가끔	hay
噴火・する	erupt	喷发	분화・하다	phun lửa
参加・する	to participate/ join in	参加	참가・하다	tham gia
間近	near	近处	가까이	ngay gần
掘る	to dig	挖	파다	đào
大自然	nature	大自然	대자연	thiên nhiên hùng vĩ
感じる	to feel/ be aware of/ conscious of	感受	느끼다	cảm nhận
芋焼酎	sweet potato shochu	白薯烧酒	고구마소주	rượu khoai
焼酎	shochu (distilled spirit)	烧酒	소주	rượu khoai
特産品	special product/ specialty	特产	특산품	đặc sản
サツマイモ	sweet potato	甘薯	고구마	khoai lang
取れる	to be harvested	收获	수확되다	trồng được
イモ	sweet potato	甘薯	고구마	khoai
～産	produced in/by (here: Satsuma grown)	～产	-산	sản phẩm của~
黒豚	Berkshire/ black pig (pork)	黑猪	흑돼지	lợn đen
合う	to go well with	适合	맞다	hợp
温泉天国	hot spring heaven	温泉天堂（聚集着各种各样的温泉的地方。）	온천천국	thiên đường suối nước nóng
湯	hot water	温泉	더운 물	nước nóng
砂	sand	沙	모래	cát
汗	sweat	汗	땀	mồ hôi
ハイキング	hiking/ a hike	郊游	뷔페	ăn kiểu buýp-phê
ガイドブック	guidebook	旅游指南	가이드북	sách hướng dẫn
地方	regional/ local	地方	지방	địa phương

㉗ 便利グッズでもっと楽しく、もっと便利に！

グッズ	goods/ products/ items	用品	상품	sản phẩm
汚す	to make dirty	弄脏	더럽히다	làm bẩn
ポテトチップス	potato chips	炸薯片	포테이토 칩스	khoai tây lát chiên
汚れる	to become/ get dirty	弄脏	더러워지다	bẩn
スナック菓子	snack food	零食	스낵과자	bánh kẹo

べとべと	sticky	粘糊糊	끈적끈적	mệt
指	finger(s)	手指	손가락	ngón tay
トング	tongs	夹子	집게	cái kẹp
工夫・する	to devise/ contrive	千方百计	궁리・하다	kỳ công
特徴	special feature/ characteristic	特征	특징	đặc điểm
普通	standard/ regular/ normal	普通	보통	thông thường
年寄り	elderly	老人	노인	người già
また	also/ in addition	另外	또	tiếp theo
形	shape/ form/ design	形状	형태	hình dáng
割れる	to break	弄碎	부서지다	vỡ, nứt
挟む	to put/ hold between (here: to pick up with the tongs)	夹	집다	kẹp
先	tip/ end/ point	尖端	끝	đầu, trước
つく	to reach (here: touch/ come in contact with)	接触	앉다	có
ちょっとした	slight (here: quite)	一点儿	사소하다	một chút
重要(な)	important	重要(的)	중요(중요한)	quan trọng
衛生的(な)	hygienic/ sanitary	卫生(的)	위생적(위생적인)	đảm bảo vệ sinh
最後	to/ until the end	最后	끝	cuối cùng
使用・する	to use	使用	사용・하다	sử dụng
税込	tax included/ with tax	含税	세금 포함	bao gồm thuế
生卵	raw egg	生鸡蛋	날계란	trứng sống
専用	exclusive use/ exclusively for	专用	전용	chuyên dụng
スティック	stick	棒	스틱	cái que
開発・する	to develop (something)	开发	개발・하다	chế ra
ブーム	boom/ fad	热潮	붐	bùng nổ, mốt
ドロッとする	gooey	又滑溜又黏糊	걸쭉하다	hơi lỏng
食感	texture	口感	식감	cảm giác khi ăn
苦手(な)	disliked	不喜欢	질색(질색인)	kém
滑らか(な)	smooth	光滑(的)	거침없이(거침없는)	nhẵn
混ぜる	to mix	搅拌	휘저어 섞다	trộn
秘密	secret	秘密	비밀	bí mật
刃	blade	刀刃	칼	cái dao
白身	egg white	蛋清	흰자	lòng trắng
もちろん	of course/ needless to say	当然	물론	tất nhiên
卵焼き	Japanese-style rolled omelet	煎鸡蛋	계란말이	trứng rán
オムレツ	omelet	煎蛋饼/煎蛋卷	오믈렛	trứng ốp-lếp
家庭	home/ family	家庭	가정	gia đình

ヒット商品	hit product	畅销商品	히트상품	sản phẩm bán chạy
条件（じょうけん）	condition(s)/ requirement(s)	条件	조건	điều kiện

日本を知る

❶ これは何でしょう？

白い	white	白色的	흰색	trắng
耳	ear	耳朵	귀	tai
長い	long	长的	길다	dài
目	eye	眼睛	눈	mắt
赤い	red	红色的	빨갛다	đỏ
そして	and	而且	그리고	và
丸い	round	圆的	동그랗다	tròn
甘い	sweet	甜的	달다	ngọt
速い	fast	快的	빠르다	nhanh
便利(な)	convenient	方便(的)	편리(편리한)	tiện lợi
大変(な)	great/serious (here: very)	非常	고생스러움(고생스러운)	vất vả
色	color	颜色	색	màu sắc
ピンク	pink	粉色	분홍색	màu hồng
季節	season	季节	계절	mùa
春	spring	春天	봄	mùa xuân
花	flower(s)	花	꽃	hoa
黒い	black	黑色的	검다	đen
でも	but/ though/ however	但是	그러나	nhưng
かわいい	cute	可爱的	귀엽다	xinh
動物	animal(s)	动物	동물	động vật
ふるさと	home/ hometown/ place of birth	故乡	고향	quê hương

❷ 何の数でしょう〜日本の数〜

富士山	Mt. Fuji	富士山	후지산	núi Phú Sĩ
高さ	height	高度	높이	chiều cao
知ります[知る]	to know	知道	압니다[알다]	biết
数	number(s)	数字	수	số
〜m(メートル)	meter	米	〜미터	mét
〜人	people/ individuals (here: counter for people)	〜人	〜명	〜người
高校生	high school student	高中生	고등학생	học sinh phổ thông trung học
1か月	one month	一个月	한 달	một tháng
お小遣い	allowance/ pocket money	零用钱	용돈	tiền tiêu vặt
小学生	elementary school student	小学生	초등학생	học sinh tiểu học

中学生	junior high school student	中学生	중학생	học sinh trung học cơ sở
雑誌	magazine	杂志	잡지	tạp chí
お菓子	sweets/ snacks	点心	과자	bánh kẹo
買います[買う]	to buy	买	삽니다	mua
いちばん	No. 1/ the most	第一	가장	số một
夏	summer	夏天	여름	mùa hè
雪	snow	雪	눈	tuyết
とても	very	非常	대단히	rất
寒い	cold	寒冷的	춥다	lạnh
人口	population	人口	인구	dân số
首都	capital city	首都	수도	thủ đô
人	people	人	사람	người
車	car/ vehicle	车	차	xe
多い	many	多	많다	nhiều
緑	green	绿树	나무	màu xanh
祝日	holiday(s)	节日	공휴일	ngày lễ
こどもの日	Children's Day	男孩节	어린이 날	ngày trẻ em
敬老の日	Respect for the Aged Day	老人节	경로의 날	ngày kính lão

❸ 朝の音

声	voice	声音	목소리	giọng nói
音	sound	声音	소리	âm thanh
シャワー	shower	淋浴	샤워	vòi hoa sen
電子レンジ	microwave oven	微波炉	전자레인지	lò vi sóng
洗濯機	washing machine	洗衣机	세탁기	máy giặt

❹ 日本の名物

紹介・します[紹介・する]	to introduce	介绍	소개・합니다[소개・하다]	giới thiệu
名物	well known/ famous/ specialty	特产	명물	danh vật
日本酒	sake/ rice wine	日本酒	일본술	rượu Nhật
～県	~ prefecture	～县	－현	tỉnh~
米	rice	大米	쌀	gạo, cơm
水	water	水	물	nước
～で作ります	made of/ from	用～酿造	－로 만듭니다	làm bằng~
生産量	production (amount)	产量	생산량	sản lượng
いちばん	No. 1/ the most	第一	가장	số một

たくさん	many	许多	많이	nhiều
ポルトガル語	Portuguese	葡萄牙语	포르투갈어	tiếng Bồ Đào Nha
ガラス	glass	玻璃	유리	thủy tinh
昔	in the past/ long ago	古代	옛날	ngày xưa
ヨーロッパ	Europe	欧洲	유럽	châu Âu
いろいろ(な)	various (a variety)	各种各样(的)	다양(다양한)	nhiều
物	thing(s)	东西	물품	vật
笛	flute/ whistle (here: Happen)	笛子	피리	cái còi
音	sound	声音	소리	âm thanh
木	tree	树	나무	cây
甘い	sweet	甜的	달다	ngọt
うどん	wheat noodles	乌冬面	우동	món mì udon
原料	base ingredient	原料	원료	nguyên liệu
小麦	wheat	小麦	밀	tiểu mạch
塩	salt	盐	소금	muối
一年中	all year	一年四季	일년 내내	cả năm
よく	often	经常	잘	hay

❺ てるてる坊主

外	outside	外面	야외	bên ngoài
大切(な)	important/ precious	重要(的)	중요(중요한)	quan trọng
イベント	event	文娱[体育]活动	행사	sự kiện
前日	the day before	前一天	전날	ngày hôm trước
絶対に	absolutely/ definitely	绝对	절대로	tuyệt đối
雨	rain	雨	비	mưa
～てほしくない	to not want	不希望～	－지 않으면 좋겠다	~không muốn được làm cho
てるてる坊主	paper doll hung by children to pray for good weather	扫晴娘	날이 들기를 빌어 만드는 종이 인형	búp bê giấy để cầu trời đẹp
遠足	excursion/ trip	郊游	소풍	đi chơi xa
前の日	the day before	前一天	전날	hôm trước
子ども	child	孩子	아이	trẻ con
～たち	suffix indicating plural (here: children)	～们	－들	nhóm/hội~
窓	window	窗户	창가	cửa sổ
つるします[つるす]	to hang/ hang up	悬挂	매답니다[매달다]	treo
歌	song	歌曲	노래	bài hát
歌います	to sing	唱	부릅니다	hát
天気	weather	天气	날씨	thời tiết

祈ります[祈る]	to pray	祈祷	빕니다[빌다]	cầu nguyện
天気にしておくれ	make it sunny	送我明天好天气	날씨를 맑게 해 줘	làm cho thời tiết
作り方	how to make	做法	만드는 법	cách làm
ティッシュペーパー	tissue paper/ facial tissue	面巾纸	티슈	giấy lau
～枚	piece (counter for flat objects)	～张	－장	~tờ
輪ゴム	rubber band	橡皮筋	고무 밴드	vòng chun
～本	piece (counter for cylindrical objects)	～个	－개	~cái
まず	first off/ at first	首先	먼저	trước hết
クルクル	onomatopoeia for rolling	卷几层	돌돌	vòng quanh
丸めます[丸める]	to form into a ball	搓成一团	맙니다[말다]	vo tròn
頭	head	头	머리	đầu
次	next	然后	다음	tiếp theo
包みます[包む]	to wrap	包起来	쌉니다[싸다]	bọc
とめます[とめる]	to bind/ hold	绑上	묶습니다[묶다]	buộc lại
最後に	finally/ at last	最后	마지막에	cuối cùng
顔	face	脸	얼굴	mặt
出来上がり	finish/ complete	做成	완성	xong
約束・します[約束・する]	to promise/ to have plans	约定	약속・합니다[약속・하다]	hứa

❻ おむすびころりん

おじいさん	grandfather (here: old man)	老爷爷	할아버지	ông
ねずみ	mouse	老鼠	쥐	con chuột
おにぎり	rice ball	饭团	주먹밥	cơm nắm
やります[やる]	to give/ let someone have	给	줍니다[주다]	cho
おむすび	rice ball	饭团	삼각김밥	cơm nắm
ころりん	onomatopoeia for rolling something around/ plumpity-plump	叽里咕噜	대구루루 (의성어)	từ tượng chỉ sự lăn
むかし、むかし	long, long ago/ once upon a time	古时候/ 很久很久以前	옛날 옛날	ngày xửa ngày xưa
木	tree	树	나무	cây
切ります[切る]	to cut	砍	뺍니다[베다]	cắt
ある～	one/ a certain (here: one day)	有～	어느-	~kia/nọ
日	day	天	날	ngày
そのとき	then/ at that time	那时	그때	lúc đó
落ちます[落ちる]	to drop	掉下	떨어집니다[떨어지다]	rơi
コロコロ	onomatopoeia for something rolling/ plumpity-plump	骨碌骨碌	대구루루 (의성어)	lông lốc
転がります[転がる]	to roll	滚动	구릅니다[구르다]	lăn
後ろ	behind	后面	뒤	đằng sau

走ります[走る]	to run	跑	뜁니다[뛰다]	chạy
穴	hole	洞	구멍	cái lỗ
(中に)落ちます[落ちる]	to fall into	掉进(里面)去	떨어집니다[떨어지다]	rơi vào
すると	then	随之	그러자	thế là
すっとんとん	onomatopoeia for dropping into something/plop	啪嗒	물체가 떨어지는 모양 또는 소리	âm thanh khi đồ vật va chạm
聞こえます[聞こえる]	to hear	听到	들립니다[들리다]	nghe thấy
もう	another	再	더	rồi
入れます[入れる]	to put/ place into	放进	넣습니다[넣다]	cho vào
また	again	又	또	lại
全部	all/ everything	全部	다	toàn bộ
次	next	下一个	다음	tiếp theo
今度	this time/ now	这次	이번	lần này
お弁当箱	lunch box	饭盒	도시락 케이스	hộp cơm
たくさん	much	许多	많이	nhiều
パーティー	party	晚会	파티	bữa tiệc
一緒に	together	一起	같이	cùng
食べ物	food	食物	음식	đồ ăn
踊ります[踊る]	to dance	跳舞	춤춥니다[춤추다]	nhảy
終わります[終わる]	to finish	结束	끝납니다[끝나다]	hết
お土産	souvenir (here: presents)	礼物	선물	quà
もらいます[もらう]	to receive	得到	받습니다[받다]	nhận
声	voice	声音	목소리	giọng nói
出します[出す]	to take/ let out	发出	냅니다[내다]	phát ra
昔話	folktale(s)	故事	옛날 이야기	chuyện cổ tích
紹介・します[紹介・する]	to introduce	介绍	소개・합니다[소개・하다]	giới thiệu

❼ ハチ公

駅	train station	电车站	역	nhà ga
～の前に	in front of	～的前面	- 앞에	trước~
犬	dog	狗	개	con chó
どうして	why	为什么	왜	tại sao
昔	long ago	从前	옛날	ngày xưa
ある～	one/ a certain	有～	어떤-	~kia/nọ
秋田犬	Akita (dog breed)	秋田狗	아키타견	chó Akita
体	body	身体	몸	cơ thể
頭がいい	clever/ smart	聪明的	머리가 좋다	thông minh

かわいい	cute	可爱的	예쁘다	xinh
大切(な)	important/ precious	精心(的)	소중함(소중한)	cẩn thận
育てます[育てる]	to raise	养	키웁니다[키우다]	nuôi
風呂に入ります	to take a bath	洗澡	목욕을 합니다	vào bồn tắm, tắm
大好き(な)	love	最喜欢(的)	매우 좋아함(매우 좋아한)	rất thích
毎朝	every morning	每早	매일 아침	hàng sáng
夕方	evening	傍晚	저녁	chiều tối
迎えに行きます[迎えに行く]	to go to meet	接	마중 나갑니다[마중 나가다]	đi đón
全然	completely/ entirely	完全	전혀	hoàn toàn
いつも	always	经常	언제나	bình thường
～ごろ	about (used with time)	左右	-경	khoảng
着きます[着く]	to arrive	到	도착합니다[도착하다]	về đến
待ちます[待つ]	to wait	等	기다립니다[기다리다]	đợi
日	day	天	날	ngày
病気で	due to illness	因病	병들어서	bị bệnh
急に	suddenly	突然地	갑자기	gấp
死にます[死ぬ]	to die	去世	죽습니다[죽다]	chết
しかし	but/ however	但是	그러나	thế nhưng
待ち続けます[待ち続ける]	to continue waiting	继续等下去	계속 기다립니다[계속 기다리다]	vẫn đợi
雪	snow	雪	눈	tuyết
ずっと	continue (here: over a long time)	一直	계속	suốt
人々	people	人们	사람들	mọi người
感動・します[感動・する]	to be moved emotionally	受感到	감동・합니다[감동・하다]	cảm động
銅像	bronze statue	铜像	동상	tượng đồng
待ち合わせ	to meet	约会	만나기로 한	hẹn gặp
場所	place	地点	장소	địa điểm
多くの人	many people	很多人	많은 사람	nhiều người
友達	friend(s)	朋友	친구	bạn
家族	family	家人	가족	gia đình
大切(な)	important/ precious	珍爱(的)	소중함(소중한)	quan trọng
改札	ticket gate	检票口	개찰	soát vé
座ります[座る]	to sit	蹲	앉습니다[앉다]	ngồi
見つめます[見つめる]	to watch intently	凝视	쳐다봅니다[쳐다보다]	nhìn
飼います[飼う]	to keep/ to have	养	기릅니다[기르다]	nuôi
紹介・します[紹介・する]	to introduce	介绍	소개・합니다[소개・하다]	giới thiệu

❽ お土産の始まり

お土産	souvenir	土产	기념품	quà
始まり	to begin	起源	시작	bắt đầu
実は	actually	实际上	사실은	có chuyện thế này
楽しみ	pleasure(s)/ joy(s)	乐趣	즐거움	thú vui
風景	view/scenery	风景	풍경	phong cảnh
昔	long ago	从前	옛날	ngày xưa
神社	Shinto shrine	神社	신사	đền thờ đạo Thần
板	board/ plank	木板	나무 판	tấm gỗ
お札	paper amulet	护身符	호부	cái tấm để ghi tên
貼ります[貼る]	to put/ affix	贴	붙입니다[붙이다]	dán
お守り	amulet	护身符	부적	bùa hộ mệnh
しかし	but/ however	但是	그러나	thế nhưng
人	people	人	사람	người
自由に	freely	自由地	자유롭게	tự do
お願い	request	恳请	부탁	điều mong ước
遠い	far	远的	멀다	xa
たくさん	many	许多	많이	nhiều
売ります[売る]	to sell	卖	팝니다[팔다]	bán
始めます[始める]	to begin	开始	시작합니다[시작하다]	bắt đầu
どの〜にも	every ~	哪个〜都	어느 -에도	nào ~ cũng
観光地	sightseeing spot/ area	旅游胜地	관광지	địa điểm du lịch
土産物	souvenir	土产品	기념품	quà
〜屋	~ store/ shop	〜商店	-가게	cửa hàng~
紹介・します[紹介・する]	to introduce	介绍	소개・합니다[소개・하다]	giới thiệu

❾ 旭山動物園

動物園	zoo	动物园	동물원	vườn bách thú
いちばん	No. 1/ the most (here: the northern most)	最	가장	nhất
北	north	北方	북쪽	bắc
オープン・します[オープン・する]	to open	开业	오픈・합니다[오픈・하다]	mở cửa
入場者	visitor(s)	入场者	입장자	người vào thăm
数	count/ number	人数	수	số
増えます[増える]	to increase	增加	늡니다[늘다]	tăng lên
キツネ	fox	狐狸	여우	con cáo
ゴリラ	gorilla	大猩猩	고릴라	con khỉ gô-ri-la

ウイルスで	due to a virus	病毒	바이러스로	do vi-rút
死にます[死ぬ]	to die	死	죽습니다[죽다]	chết
病気	illness	病	병	bệnh
人々	people	人们	사람들	mọi người
～に関係があります	to be related/ connected to	和～有关联	－하고 관계가 있습니다	có quan hệ với～
心配(な)	concern/ worry	担心(的)	걱정(걱정이 되는)	lo lắng
それで	because of this	因此	그래서	thế là
どんどん	more and more/ increasingly	连续不断	속속	tăng lên nhanh chóng
万	10,000	万	만	vạn
～人	people	～人	－명	～người
今では	now/ currently	现在	지금은	bây giờ thì
お客さん	visitor(s)/ guest(s)	游客	손님	khách
こんなに	as much as this/ so much	这么	이렇게	thế này
理由	reason	理由	이유	lí do
園長	zoo director	园长	원장	giám đốc vườn bách thú
スタッフ	staff	工作人员	스태프	nhân viên
工夫・します[工夫・する]	to devise/ contrive	想方设法	궁리・하다	kỳ công
見せ方	the way/ how to see	展示方法	전시법	cách bày ra
形態展示	non-interactive exhibition	形态展示	형태전시	triển lãm hình thái
動物	animal(s)	动物	동물	động vật
姿	figure/ shape	外貌	모습	tư thế
形	shape/ feature(s)	外形	형태	hình dáng
以前	before/ previously	以前	이전	trước đây
ほとんど	almost all	几乎	거의	hầu như
経営・します[経営・する]	to manage/ operate	经营	경영・합니다[경영・하다]	kinh doanh
方法	method/ how to ～	方法	방법	phương pháp
考えます[考える]	to think	考虑	생각합니다[생각하다]	nghĩ
始めます[始める]	to begin	开始	시작합니다[시작하다]	bắt đầu
行動展示	interactive exhibition	动态展示	행동전시	triển lãm hành động
行動・します[行動・する]	to move/ act	游动	행동・합니다[행동・하다]	hành động
水族館	aquarium	水族馆	수족관	nhà trưng bày động vật dưới nước
アザラシ	seal	海豹	해표	hải cẩu
ペンギン	penguin	企鹅	펭귄	chim cánh cụt
遊びます[遊ぶ]	to play	玩耍	놉니다[놀다]	chơi
頑張ります[頑張る]	to try hard/ do one's best	努力	열심히 합니다[열심히 하다]	cố gắng
えさ	animal feed	饵料	먹이	đồ ăn

取ります[取る]	to take (something)	争取	잡습니다[잡다]	lấy
こっち	over here/ this way	这边	이쪽	ở đây
空	sky	空中	하늘	bầu trời
飛びます[飛ぶ]	to fly	飞	납니다[날다]	bay
プール	pool	水槽	수영장	bể bơi
トンネル	tunnel	隧道	터널	đường hầm
だから	so/ therefore	因此	그래서	vì thế
本当	real/ actual	真实	본래	thật
生活	life	生活	생활	cuộc sống sinh hoạt
メッセージ	message	信息	메시지	thông điệp
増やす	to increase	增加	늘리다	tăng lên
～ために	for the purpose of ~/ in order to ~	为了~	-기 위해	để cho~
他に	other	其他的	다른	khác

❿ お見舞い

お見舞い	visit to an ill person	探病	문안	thăm người ốm
マナー	manners/ etiquette	礼节	매너	phép cư xử
知ります[知る]	to know	知道	압니다[알다]	biết
入院中	to be hospitalized	住院中	입원중	đang nhập viện
鉢植え	potted plant	盆栽	화분	trồng cây cảnh
花	flower(s)	花	꽃	hoa
ちょっと	a little/ a bit	有点儿	조금	một chút
びっくり	surprised	吃惊	깜짝	ngạc nhiên
あとで	later	之后	나중에	sau
他	other	其他	다른	khác
根付きます[根付く]	to take root	生根	뿌리박습니다[뿌리박다]	bắt rễ
長い間	a long time	长期	오랫동안	khoảng thời gian dài
発音	pronunciation	发音	발음	phát âm
似ています	to look like	相似	비슷하다	giống
においが強い	strong fragrance/ odor	气味强烈的	냄새가 강하다	mùi mạnh
終わります[終わる]	wither/ wilt/ die	凋谢	시들다	hết
ポトン	plop	噗通	뚝	nhẹ (rơi)
落ちます[落ちる]	to fall/ drop	凋落	떨어집니다[떨어지다]	rơi
黄色	yellow	黄色	노란색	màu vàng
菊	chrysanthemum	菊花	국화	hoa cúc
やめます[やめる]	to stop/ cease	不要送	안 합니다[안 하다]	bỏ

葬式	funeral	丧事	장례식	đám tang
使います[使う]	to use	使用	씁니다[쓰다]	sử dụng
大切(な)	important	重要(的)	소중함(소중한)	quan trọng
お大事に	take good care (here: get well soon)	请多保重身体	몸 조심하세요	giữ gìn sức khỏe
気持ち	feeling	心情	마음	tấm lòng

⓫ ご当地ラーメン

ラーメン	ramen	拉面	라면	mì ramen
たくさん	many	许多	많이	nhiều
種類	type(s)	种类	종류	chủng loại
ご当地	here/ this place	当地	지역	địa phương
並びます[並ぶ]	to line up	排队	줄 섭니다[줄 서다]	xếp hàng
テレビ番組	TV program	电视节目	TV 프로그램	chương trình tivi
紹介・します[紹介・する]	to introduce	介绍	소개・합니다[소개・하다]	giới thiệu
本当に	really/ truly	的确	정말로	thật
寒さ	cold/ coldness	寒冷	추위	cái lạnh
育てます[育てる]	to raise	出于~	기릅니다[기르다]	tạo ra
濃い	thick/ heavy	浓的	진하다	nồng, đậm
~ので	because of/ due to	因为~	-니까	vì
体	body	身体	몸	cơ thể
暖かい	warm	暖和的	따뜻하다	ấm
オリジナル	original	独创	오리지널	độc đáo, riêng
できます[できる]	to do/ to complete	制成	만들어집니다[만들어지다]	làm được
みそ	soybean paste	豆酱	된장	tương miso
生まれます[生まれる]	to be born	诞生	태어납니다[태어나다]	sinh ra
味	taste/ flavor	味道	맛	vị
おすすめ	recommendation	推荐	추천	cái giới thiệu cho khách
青竹	green bamboo	青竹	녹죽	tre xanh
麺	noodles	面条	면	mì
銘水	high-quality water	优质水	명수	nước ngon
手作り	handmade	手制	수제	tự tay làm
太め	thicker/ larger	粗	굵직함	hơi to
平打ち麺	flat noodles	平擀面条	납작하게 만든 면	mì nặn bề mặt
特徴	special feature/ characteristic	特征	특징	đặc điểm
小麦粉	wheat flour	面粉	밀가루	bột mì
産地	production center	产地	산지	nơi sản xuất

あっさり	simple/ light	清淡	단백함	vị thanh
屋台	booth/ stall/ stand	货摊	포장마차	quán
豚骨	pork bone	猪骨汤	돼지뼈	xương lợn
極細	super thin	极细	매우 가늚	rất mỏng
最高	the best	最佳	최고	tuyệt vời
バランス	balance	平衡配料	균형	nấu
強火	high heat	大火	강한 불	lửa mạnh
煮ます[煮る]	to boil	炖	끓이다	nấu
細い	thin	细的	가늘다	mỏng
お代わり・します[お代わり・する]	to have a second serving/ seconds	再来一碗	하나 더·먹습니다[하나 더·먹다]	sự cân bằng
システム	system	方式	시스템	ăn bát nữa
続きます[続く]	to continue	继续	계속됩니다[계속되다]	tiếp tục
シンプル	simple	朴素	단순하다	đơn giản
オーソドックス	orthodox	正统	정통파	chính thống
三大ポイント	three main points/ characteristics	三大特点	삼대 포인트	ba điểm mấu chốt
鶏	poultry (usually chicken)	鸡	닭	con gà
野菜	vegetables	蔬菜	야채	rau
縮れます[縮れる]	to be curled	起皱	곱슬곱슬합니다[곱슬곱슬하다]	co lại
地域	region	地区	지역	khu vực
～によって	depending on	由于～	-에 따라서	tùy theo~
少しずつ	little by little	一点一点	조금씩	từng tí một
違い	difference	差异	차이	sự khác nhau

⓬ 祝日ともち

特別(な)	special	特别(的)	특별(특별한)	đặc biệt
祝日	holiday(s)	节日	명절	ngày lễ
もち	rice cake	年糕	떡	bánh dày
丸い	round	圆的	동그랗다	tròn
四角い	square	方形的	네모나다	vuông
ひし形	diamond shaped	菱形	마름모꼴	hình thoi
昔	long ago	从前	옛날	ngày xưa
神様	god(s)	神灵	신	thần
力	strength/ power	力量	힘	sức mạnh
考えます[考える]	to think	考虑	생각합니다[생각하다]	nghĩ
それで	because of that	因此	그래서	thế là
お祝い・します[お祝い・する]	to congratulate/ celebrate	祝贺	축하·합니다[축하·하다]	làm lễ chúc mừng

行事	event/ function/ activity	仪式	행사	sự kiện
今でも	even now	至今	지금도	ngay cả bây giờ
正月	January (here: New Year)	新年	설	tết
雑煮	soup with rice cakes and vegetables	年糕汤	일본식 떡국	cơm thập cẩm
東日本	Eastern Japan	日本东部	일본 동부지방	miền Đông Nhật Bản
西日本	Western Japan	日本西部	일본 서부지방	miền Tây Nhật Bản
形	shape	形状	형태	hình dáng
味	taste/ flavor	味道	맛	vị
違います[違う]	different	不同	다릅니다[다르다]	khác
人形	doll	玩偶	인형	con búp bê
飾ります[飾る]	to decorate	悬挂	장식합니다[장식하다]	trang trí
鯉のぼり	carp streamer	鲤鱼旗	잉어 모양 기	cá chép vải
あんこ	sweet bean paste	豆沙馅	팥소	nhân bột đậu
柔らかい	soft/ tender	柔软的	부드럽다	mềm
～てみます	to try ~/ to give something a try	～一下	-해 봅니다	thử~

⓭ かちかち山

むかし、むかし	long, long ago / once upon a time	古时候/ 很久很久以前	옛날 옛날	ngày xưa ngày xưa
仲のいい	get along well	和睦	사이가 좋다	hòa thuận
おじいさん	grandfather (here: old man)	老爷爷	할아버지	ông
おばあさん	grandmother (here: old woman)	老奶奶	할머니	bà
まじめ(な)	serious/ earnest	老实(的)	성실(성실한)	nghiêm túc
一生懸命(な)	try as hard as one can/ with one's whole heart	拼命(的)	열심히(열심히 하는)	hết mình
働きます[働く]	to work	劳动	일합니다[일하다]	làm việc
優しい	kind/ tender	慈祥的	상냥하다	tình cảm
ある日	one day	有一天	어느 날	một ngày
畑	a farm field	农田	밭	ruộng
豆	bean(s)	豆子	콩	đậu
まきます[まく]	to sow (seeds)	撒	뿌립니다[뿌리다]	ngày càng
変(な)	strange	奇怪(的)	이상(이상한)	khác lạ
音	sound	声音	소리	âm thanh
聞こえます[聞こえる]	to hear	听到	들립니다(들리다)	nghe thấy
タヌキ	raccoon	狸	너구리	con chồn
悪い	bad	坏的	나쁘다	xấu
逃げます[逃げる]	to escape/ run off	逃跑	도망칩니다[도망치다]	bỏ chạy
全部	all/ everything	全部	다	toàn bộ

怒ります[怒る]	to become angry	动怒	화냅니다[화내다]	giận
捕まえます[捕まえる]	to catch	抓住	잡습니다[잡다]	bắt được
ひも	string/ cord	绳子	끈	cái dây
縛ります[縛る]	to tie/ bind	绑	묶습니다[묶다]	trói
背負います[背負う]	to carry on one's back	背	업습니다[업다]	cõng trên lưng
ぶらさげます[ぶらさげる]	to hang/ suspend	吊起来	달아맵니다[달아매다]	treo thõng xuống
また	again	又	다시	lại
出かけます[出かける]	to depart/ set out	出去	나갑니다[나가다]	đi ra ngoài
泣きます[泣く]	to cry	哭	웁니다[울다]	khóc
痛い	ouch! It hurts	疼	아프다	đau
助けます[助ける]	to save/ rescue/ help	救	살려 줍니다[살려 주다]	giúp
もう	anymore	不再	이제	nữa
下ろします[下ろす]	to take/ put down	放下来	내려놓습니다[내려놓다]	bỏ xuống
ほどきます[ほどく]	to untie	解开	풉니다[풀다]	cởi ra
たたきます[たたく]	to hit/ beat	打	때립니다[때리다]	đập
殺します[殺す]	to kill	杀死	죽입니다[죽이다]	giết
倒れます[倒れる]	to fall down/ collapse	倒下	쓰러집니다[쓰러지다]	ngã xuống
悲しい	sad	悲伤的	슬프다	buồn
誰か	someone	谁	누군가	ai đó
戸	door	门	문	cửa
森	forest	森林	숲	rừng
ウサギ	rabbit	兔子	토끼	con thỏ
僕	I	我	제	tôi
探します[探す]	to search/ look for	找	찾습니다[찾다]	tìm
枝	branch	树枝	가지	cành cây
拾います[拾う]	to pick up/ gather	捡	줍습니다[줍다]	nhặt
下ります[下りる]	to go down/ descend	下去	내립니다[내리다]	xuống
火打ち石	a flint	火石	부싯돌	đá đánh lửa
たたきます[たたく]	to hit (here: strike)	敲	부딪힙니다[부딪히다]	đập
カチカチ鳥	"clack-clack" bird (the sound of two rocks being hit together)	啪嚓啪嚓鸟(啪嚓啪嚓是用来形容敲打石头时发出的声音)	딱딱새('딱딱' 돌을 부딪히는 소리로 이름을 붙인 상상의 새)	chim 'kachi-kachi' (tên một loại chim trong cổ tích)
火	fire	火	불	lửa
つけます[つける]	to put on (here: to start)	点	붙입니다[붙이다]	châm lửa
燃えます[燃える]	to burn	燃烧	탑니다[타다]	cháy
ボウボウ鳥	"crackle-crackle" bird (the sound of trees burning)	噼里啪啦鸟(噼里啪啦是用来形容木头燃烧时发出的声音)	활활새('활활' 나무가 불 타는 소리로 이름을 붙인 상상의 새)	chim 'bô-bô' (tên một loại chim trong cổ tích)
声	voice	声音	목소리	giọng nói
背中	a back	背	등	lưng

熱い	hot	热的	뜨겁다	nóng
走ります[走る]	to run	跑	뜁니다[뛰다]	chạy
ひどい	terrible	严重的	심하다	ghê
やけど	burn	烧伤	화상	bỏng
舟	boat	船	배	cái thuyền
釣ります[釣る]	to fish	钓鱼	낚습니다[낚다]	câu cá
土	earth/ dirt/ soil	土	흙	đất
沈みます[沈む]	to sink	沉没	가라앉습니다[가라앉다]	chìm
底	the bottom	底部	바닥	đáy

⑭ 竹取物語

世界一	the world's + superlative (here: the world's oldest)	世界第一	세계에서 가장	nhất thế giới
SF小説	science fiction novel	惊险小说	SF소설	chuyện khoa học viễn tưởng
むかし、むかし	long, long ago/ once upon a time	古时候/很久很久以前	옛날 옛날	ngày xưa ngày xưa
あるところ	a certain/ one place	某个地方	어떤 곳	vùng nọ
おじいさん	grandfather (here: old man)	老爷爷	할아버지	ông
おばあさん	grandmother (here: old woman)	老奶奶	할머니	bà
ある〜	one/ a certain (here: one day)	有〜	어떤-	~kia/nọ
竹	bamboo	竹子	대나무	cây tre
竹やぶ	grove	竹林	대숲	bụi tre
光ります[光る]	to shine	闪亮	반짝입니다[반짝이다]	sáng
びっくり	surprised	吃惊	깜짝	ngạc nhiên
連れて帰ります[連れて帰る]	to carry home	带回家	데려갑니다[데려가다]	dẫn về
呼びます[呼ぶ]	to call	叫	부릅니다[부르다]	gọi
大切に	with great care	精心地	소중히	coi trọng
育てます[育てる]	to raise	养育	키웁니다[키우다]	nuôi
暮らします[暮らす]	to live (as in daily life)	生活	삽니다[살다]	sống
〜後	after	〜以后	-후	sau
娘	young lady	姑娘	처녀	cô con gái
結婚・します[結婚・する]	to marry	结婚	결혼・합니다[결혼・하다]	kết hôn
しかし	but/ however	但是	그러나	thế nhưng
誰とも〜ない	with no one	和谁都不〜	누구하고도 -지 않다	không〜 với ai cả
珍しい	rare/ unusual	罕见的	드물다	hiếm lạ
一生懸命(な)	try as hard as one can/ one's whole heart	拼命(的)	열심히(열심히 하는)	hết mình
探します[探す]	to search/ look for	寻找	찾습니다[찾다]	tìm
泣き声	crying	哭声	울음소리	tiếng khóc

心配・します[心配・する]	to be concerned/ to worry	担心	걱정・합니다[걱정・하다]	lo lắng
月	moon	月亮	달	trăng
生まれます[生まれる]	to be born	出生	태어납니다[태어나다]	sinh ra
お姫様	princess	公主	공주님	công chúa
驚きます[驚く]	to be surprised	震惊	놀랍니다[놀라다]	ngạc nhiên
次	next	下一个	다음	tiếp theo
別れます[別れる]	to separate	分别	헤어집니다[헤어지다]	chia tay
悲しい	sad	悲伤的	슬프다	buồn
牛車	ox carriage	牛车	쇠달구지	xe bò
下りてきます	to descend	降下来	내려옵니다	xuống
長い間	a long time	长期	오랫동안	khoảng thời gian dài
見つけます[見つける]	to find	找到	발견합니다[발견하다]	tìm thấy
自由に	freely	自由地	자유롭게	tự do
考えます[考える]	to think	考虑	생각합니다[생각하다]	nghĩ

⓯ 日本人の名字

名字	family name	姓	성	họ
数	number(s)	数字	수	số
はっきり	clear	明确	확실히	rõ
十数万	tens of thousands	十几万	십여 만	mấy trăm nghìn
万	10,000	万	만	vạn
周り	around (someone/ somewhere)	周围	주변	xung quanh
もしかしたら	perhaps/ possibly	也许	어쩌면	có thể
～位	place/ position (here: 2nd place)	～位	－위	vị trí số～
メジャーリーグ	major league	(美国职业)棒球大联盟	메이저 리그	giải đấu bóng chày chính
選手	player/ athlete	选手	선수	cầu thủ
多くの～	many	许多的～	많은 －	nhiều
地名	place name(s)	地名	지명	địa danh
地形	geographical/ natural feature	地形	지형	địa hình
風景	view/ scenery	风景	풍경	phong cảnh
関係がある	to be related/ connected	有关联	관계가 있다	có quan hệ
田んぼ	rice paddy	水田	논	ruộng lúa
出入り口	entrance and exit (here: approach)	出入口	출입구	cửa ra vào
この他にも	in addition to	除此之外	이 밖에도	ngoài ra còn có
池	pond	池塘	못	cái ao
森	forest	森林	숲	rừng

浜	beach	海滨	바닷가	bãi biển
由来	origin	由来	유래	nguyên do
また	also	另外	또	ngoài ra
方位	direction	方位	방위	phương vị
職業	occupation/ work	职业	직업	nghề nghiệp

⓰ 部活！部活！部活！

以外	except (here: besides)	以外	이외	ngoài
夢中	totally absorbed in	热衷	열중	đam mê
盛ん（な）	active/ lively	盛行	활발(활발한)	sôi nổi
授業	class/ lesson	上课	수업	giờ giảng
活動・する	to be active/ involved in an activity	活动	활동・하다	hoạt động
体育系	physical	体育科	체육계	ban thể thao
文化系	cultural	文科	문화계	ban văn hóa
分かれる	to be divided (into)	分开	나누어지다	được chia ra
陸上	track and field	田径	육상	điền kinh
体操	gymnastics	体操	체조	thể dục
ワンダーフォーゲル	wanderfogel/ hiking club	青少年徒步旅行团	반더포겔	leo núi
登山	mountain climbing/ mountaineering	登山	등산	leo núi
最近	recently/ lately	最近	최근	gần đây
男子	boy(s)	男子	남자	nam giới
新体操	rhythmic gymnastics	艺术体操	신체조	môn thể dục mới
シンクロナイズドスイミング	synchronized swimming	水上芭蕾	싱크로나이즈드 스위밍	môn bơi đồng nhịp
さらに	moreover	而且	그리고	thêm nữa
伝統的（な）	traditional	传统(的)	전통적(전통적인)	mang tính truyền thống
柔道	judo	柔道	유도	võ judo
～をはじめ	including/ along with	以～为首	－를 비롯하여	như là~
剣道	kendo (Japanese fencing)	剑术	검도	kiếm đạo
弓道	kyudo (Japanese archery)	箭术	궁도	cung đạo
相撲	sumo (Japanese wrestling)	相扑	씨름	vật sumo
茶道	chado (tea ceremony)	茶道	다도	trà đạo
天文	astronomy	天文	천문	thiên văn
軽音楽	light music	轻音乐	경음악	nhạc nhẹ
落語研究会	comic storytelling study group	单口相声研究会	라쿠고연구회	hội nghiên cứu nghệ thuật kể chuyện
続く	to continue	继续	계속되다	tiếp tục
廊下	hallway/ corridor/ passage	走廊	복도	hành lang

校庭	schoolyard/ campus	校园	교정	sân trường
生徒	student(s)	学生	학생	học sinh
合宿・する	to lodge (here: club camp)	集训	합숙・하다	đi trại tập huấn
過ごす	to spend/ pass (time)	度过	지내다	qua, ở
チームワーク	teamwork	协同工作	팀 워크	làm việc tập thể
養う	to develop/ cultivate	培养	기르다	nuôi dưỡng
先輩	senior (in a higher grade)	前辈	선배	đàn anh
後輩	junior(s)	后辈	후배	đàn em
指導・する	to supervise/ guide	指导	지도・하다	chỉ đạo
分野	area/ field	领域	분야	lĩnh vực
全国大会	national competition/ championships	全国大会	전국대회	đại hội toàn quốc
出場・する	participate	参加	출장・하다	tham gia
憧れ	to yearn for	憧憬	동경	điều mơ ước
ブラスバンド	brass band	铜管乐队	브라스밴드	ban nhạc kèn đồng
かるた	card games	纸牌	놀이딱지	trò chơi karuta
書道	calligraphy	书法	서예	thư pháp
優勝・する	first place/ the title	优胜	우승・하다	vô địch
目指す	to head for/ aim at	作为目标	목표로 하다	nhằm tới
野球	baseball	棒球	야구	bóng chày
早朝	early morning/ early in the morning	早晨	이른 아침	sáng sớm
野球場	baseball field	棒球场	야구장	sân bóng chày
各都道府県	each/ every prefecture (literally: Tokyo-To, Hokkai-Do, Osaka-Fu, Kyoto-Fu and prefectures)	各都道府县	각도도부현	các tỉnh thành
代表	representative	代表	대표	thành viên đội tuyển
参加・する	to participate/ join in	参加	참가・하다	tham gia
日本一	Number one in Japan	日本第一	일본 제일	nhất Nhật Bản
試合	game/ match/ competition	比赛	시합	trận đấu
行う	to do/ hold/ have	举行	치르다	tiến hành
最後に	finally/ in conclusion/ lastly	最后	마지막에	cuối cùng
応援団	cheer squad	拉拉队	응원단	đoàn cổ vũ
盛り上げる	to pile up (here: to enliven/ excite)	活跃气氛	북돋우다	làm cho sôi nổi
応援・する	to support	加油	응원・하다	cổ vũ
では	well then	那么	그러면	nào
もともと	originally	本来	원래	vốn dĩ
あいさつ・する	to greet	问候	인사・하다	chào hỏi
興味	interest	兴趣	관심	sự quan tâm
以外	except (here: besides)	以外	이외	ngoài

⓱ おふくろの味って何？

以外	except/ besides	以外	이외	ngoài
家庭	home/ family	家庭	가정	gia đình
呼ぶ	to call	叫	부르다	gọi
他	other	其他	다른	khác
懐かしい	missed/ longed for	怀念的	그립다	gợi nhớ
何度でも	any number of times/ however many times	无论多少次	몇 번이라도	bao nhiêu lần đều
意味	meaning	意思	의미	ý nghĩa
ある〜	one/ a certain	有〜	어떤-	có một~
食品関係の会社	food-related company	食品公司	식품 관계의 회사	công ty thực phẩm
〜代	a span of time (here: people from their 20s to 60s)	〜年龄段	-대	độ tuổi~
アンケート	questionnaire	问卷	설문조사	bản câu hỏi điều tra
結果	result	结果	결과	kết quả
男性	male(s)	男性	남성	nam giới
みそ汁	soybean paste soup	酱汤	된장국	món canh tương miso
女性	girl(s)/ female(s)	女性	여성	nữ giới
煮物	boiled/ stewed food	炖菜	조림	món ninh
ベスト3	the best/ top 3	前三位	상위 세 가지	tốp 3
肉じゃが	meat and potato stew	土豆炖肉	고기와 감자 조림	món khoai tây nấu thịt
実は	actually	实际上	사실은	có chuyện thế này
昔	long ago	从前	옛날	ngày xưa
ビーフシチュー	beef stew	炖牛肉	쇠고기 스튜	món thịt bò hầm
〜と同じような	the same as (used with nouns)	和〜一样	-와 같은	giống như là~
できる	to do/ to complete	做成	완성되다	được
そのころ	about/ at that time	当时	그 당시	lúc đó
ワイン	wine	葡萄酒	와인	rượu vang
コック	cook/ chef	厨师	요리사	người đầu bếp
キッチン	kitchen	厨房	주방	bếp
始まり	to start/ to get started	开始	시작	bắt đầu
成人病	adult/ lifestyle diseases	成人病	성인병	bệnh người lớn
問題	problem/ issue	问题	문제	vấn đề
ファストフード	fast food	快餐	패스트푸드	đồ ăn nhanh
健康	health	健康	건강	khỏe
増える	to increase	增加	늘어나다	tăng lên
栄養	nutrition	营养	영양	dinh dưỡng

合う		to go well with	适合	맞다	hợp
心(こころ)		heart (feeling)	心	마음	lòng
そんな理由(りゆう)		for this/ that reason	那样的理由	그런 이유	với lý do như thế
人々(ひとびと)		people	人们	사람들	mọi người
エピソード		episode (here: example)	逸闻	에피소드	câu chuyện

⑱ 和室(わしつ)の工夫(くふう)

和室(わしつ)		Japanese-style room(s)	和室	일식 방	phòng kiểu Nhật
工夫(くふう)・する		to devise/ contrive (here: plan)	想方设法	궁리・하다	kỳ công
気(き)がつく		to notice	注意到	알아차리다	nhận biết
高温多湿(こうおんたしつ)		high temperature and high humidity	高温多湿	고온다습	nóng ẩm
四季(しき)		the four seasons	四季	사계절	bốn mùa
季節(きせつ)		season	季节	계절	mùa
快適(かいてき)に		comfortable	舒适地	쾌적하게	thoải mái
過(す)ごす		to spend/ pass (time)	度过	지내다	qua, ở
クローゼット		closet	壁柜	벽장	tủ quần áo
布団(ふとん)		futon/ bedding	被褥	이불	chăn đệm
床(ゆか)		floor	地板	마루	sàn nhà
掛(か)け軸(じく)		hanging scroll	挂轴	족자	cuộn giấy treo
飾(かざ)る		to decorate	挂	장식하다	trang trí
楽(たの)しむ		to enjoy	享受	즐기다	vui
迎(むか)える		to welcome/ greet	迎接	맞이하다	đón
植物(しょくぶつ)		plants	植物	식물	thực vật
敷(し)く		to cover	铺	깔다	trải
直接(ちょくせつ)		direct	直接	직접	trực tiếp
におい		smell/ fragrance	气味	냄새	mùi
紙(かみ)		paper	纸	종이	giấy
風(かぜ)		wind/ breeze	风	바람	kiểu
光(ひかり)		light	光	빛	ánh sáng
通(とお)る		pass (through, by, along)	透过	통과하다	đi qua
音(おと)		sound	声音	소리	âm thanh
区切(くぎ)る		to divide/ partition	隔开	구분하다	ngăn
外(はず)す		to take off/ remove	卸下来	떼다	bỏ ra
特徴(とくちょう)		special feature/ characteristic	特征	특징	đặc điểm

⓫ お弁当

一般的(な)	standard/ generic	一般(的)	일반적(일반적인)	thông thường
紹介・する	to introduce	介绍	소개・하다	giới thiệu
箱	box	盒子	상자	cái hộp
一食分	one meal	一顿饭	한 끼분	một suất ăn
おかず	foods that go with rice	菜肴	반찬	thức ăn
少しずつ	little by little (here: a little of each)	一点一点	조금씩	từng tí một
栄養	nutrition	营养	영양	dinh dưỡng
バランス	balance	平衡	균형	sự cân bằng
ふた	cover/ top	盒盖	뚜껑	cái nắp
うれしい	happy	高兴的	기쁘다	vui
キャラクター	character	卡通	캐릭터	vật làm biểu tượng
ソーセージ	sausage	香肠	소시지	xúc xích
カッター	cutter	美工刀	커터	cái dao cắt
のり	dried seaweed	海苔	김	keo dán
売られています	sold	被销售	판매되고 있습니다	bán chạy
健康	health	健康	건강	khỏe
気をつける	to be careful/ take care	注意	주의를 하다	cẩn thận
カロリー	calorie(s)	热量	칼로리	ca-lo
電子レンジ	microwave oven	微波炉	전자레인지	lò vi sóng
温める	to warm up	加热	데우다	hâm nóng
専門店	specialty store/ shop	专卖店	전문점	hiệu chuyên bán~
高級(な)	high quality/ class	高级(的)	고급(고급한)	cao cấp
花見	flower viewing	赏花	벚꽃놀이	ngắm hoa
親戚	relative/ relation	亲戚	친척	họ hàng
行事	event/ function/ activity	仪式	행사	sự kiện
特別(な)	special	特别(的)	특별(특별한)	đặc biệt
イベント	event	文娱[体育]活动	행사	sự kiện
長距離列車	long-distance train	长途列车	장거리열차	tàu đường dài
各地	every place	各地	각지	các địa phương
名産	specialty/ well-known product	特产	명산	sản vật nổi tiếng
デザイン・する	to design	设计	디자인・하다	thiết kế
列車	train	列车	열차	đoàn tàu
楽しみ	pleasure(s)/ joy(s)	乐趣	즐거움	thú vui
開かれる	to open	举行	열리다	được mở ra
売り切れる	to be sold out	售完	매진되다	bán hết

⑳ 鶴の恩返し

絶対に	absolutely/ definitely	绝对	절대	tuyệt đối
鶴	crane (bird)	鹤	두루미	con hạc
恩返し	repay an obligation/ a kindness	报恩	보은	trả ơn
ある〜	one/ a certain	有〜	어느—	~kia/nọ
貧乏(な)	poor	贫穷(的)	가난(가난한)	nghèo túng
仲良く	to get along well	和睦	사이좋게	hòa thuận
暮らす	to live	生活	살다	sống
まき	firewood	木柴	장작	củi
背負う	to carry on one's back	背	짊어지다	mang trên lưng
しばらく	for a while	一会儿	잠시	một lúc sau
バタバタ	onomatopoeia for flapping	吧嗒吧嗒	펄럭펄럭	tất bật
〜羽	wing/ feather (counter for birds)	〜只	—마리	~con
わな	trap/ snare	陷阱	올가미	cái bẫy
かかる	to be caught	落入	걸리다	mắc
動く	to move	动	움직이다	cử động
かわいそうに	pitiful/ poor thing	可怜的	가엾어라	trông đáng thương
すぐに	immediately	马上	곧	ngay
助ける	to rescue/ help	救	살려 주다	cứu
外す	to take off/ remove	解开	떼다	lấy ra
喜ぶ	to rejoice/ be happy	高兴	기뻐하다	vui
鳴く	to sing	鸣叫	울다	kêu
トントン	onomatopoeia for knocking	咚咚	똑똑	cốc cốc
戸	door	门	문	cửa
たたく	to hit/ beat	敲	두드리다	gõ
こんな遅い時間	so late/ at such a late hour	这么晚	이렇게 늦은 시간	thời điểm muộn thế này
真っ白い	pure white	纯白	새하얗다	trắng tinh
着物	kimono	和服	옷	áo kimono
迷う	to get lost	迷路	(길을) 잃다	phân vân
一晩	one/ all/ over night	一夜	하루밤	một đêm
泊める	to put someone up/ take in	过夜	재우다	cho trọ lại
布団	futon/ bedding	被褥	이불	chăn đệm
わら	straw	稻草	짚	rơm
次	next	下一个	다음	tiếp theo
幸せ(な)	happy	幸福(的)	행복(행복한)	hạnh phúc
手伝い	to help	帮忙	심부름	giúp

もうすぐ	very soon	快要	이제 다	sắp
もち	rice cake	年糕	떡	bánh dày
機織り	weaving	织布	베짜기	dệt vải
約束・する	to promise	约定	약속・하다	hứa
理由	reason	理由	이유	lí do
美しい	beautiful	美丽的	아름답다	đẹp
布	cloth	布	천	vải
すると	then	随之	그러자	thế là
値段	price	价格	값	giá
売れる	to sell	畅销	팔리다	bán được
過ごす	to spend/ pass (time)	度过	지내다	qua, ở
また	again	又	또	lại
とうとう	finally/ at last	终于	끝내	rồi cũng đến lúc
羽	feather(s)	羽毛	새털	lông chim
織る	to weave	织	짜다	dệt
びっくり	surprised	震惊	깜짝	ngạc nhiên
急ぐ	to hurry	急忙	서두르다	vội
しばらく	for a while	许久	잠시	một lúc sau
渡す	to give/ hand over	交给	넘기다	đưa cho
お礼	show of appreciation/ thanks	谢意	보답	lời cảm ơn
人間	human	人	인간	người
姿	form/ shape	外貌	모습	hình dáng
あっという間	in the time it takes to say, "Ah!"/ in the blink of an eye	转眼间	순식간	trong chốc lát
戻る	to return	恢复	되돌아가다	quay lại
順番	order/ sequence	依次	차례	thứ tự
並べる	to line up	排	나란히 놓다	xếp thành hàng
似たような話	a tale like this	类似的故事	비슷한 이야기	chuyện giống như thế

㉑ 明るくて、ハートの優しい女の子

あなた	you	你	당신	anh/chị, ông/bà
〜にとって	as far as (someone is) concerned/ in (someone's) opinion	对〜来说	-에게 있어서	đối với
ハート	heart	心	하트	trái tim
双子	twins	双胞胎	쌍둥이	cặp song sinh
アップルパイ	apple pie	苹果派	애플파이	bánh nhân táo
キャラクター	character	卡通	캐릭터	vật làm biểu tượng
身長	height (for people)/ length (for animals)	身高	키	chiều cao

～分	amount (here: 5 apples' worth)	～大小	－만큼	~phút
体重	weight	体重	몸무게	cân nặng
世界中	around/ throughout the world	世界上	온 세계	khắp thế giới
作り出す	to produce/ make	创作	만들어내다	làm ra
～代目	~ generation	第～代	－대째	đời thứ~
デザイナー	designer	设计师	디자이너	nhà thiết kế
最も	the most	最	가장	nhất
成長させました	to develop (something)	让…成长	성장시켰습니다	phát triển thành
感情	feelings	感情	감정	tình cảm
共有・する	to identify with/ share	分享	공유・하다	chia xẻ
秘密	secret	秘密	비밀	bí mật
さまざま(な)	a range of/ various	各种各样(的)	다양(다양한)	nhiều
変身・する	to change (physically)	变形	변신・하다	biến thành
海外	abroad/ overseas	海外	해외	hải ngoại
グッズ	goods/ products/ items	商品	상품	sản phẩm
現地	local/ on the spot/ on the ground	当地	현지	nơi đó
地域	regions	地区	지역	khu vực
合う	to fit	适合	맞다	hợp
デザイン・する	to design	设计	디자인・하다	thiết kế
文房具	stationary	文具	문방구	văn phòng phẩm
家電	electrical appliance(s)	家电	가전제품	đồ điện gia dụng
全国	national/ throughout the nation	全国	전국	toàn quốc
観光地	sightseeing spot/ area	旅游胜地	관광지	địa điểm du lịch
ご当地	area-specific/ local	本地	지역	địa phương
地域限定	limited to a specific region	地区限定	지역한정	chỉ có ở vùng đó
時代	era/ the times	时代	시대	thời đại
変化・する	to change	变化	변화・하다	thay đổi
変わっていく	to change	不断地变化	변화해 가다	thay đổi
登場・する	to enter/ appear	登场	등장・하다	xuất hiện
当時	at the/ that time	当时	당시	lúc đó
ピンク	pink	粉色	분홍색	màu hồng
背景	background/ setting	背景	배경	bối cảnh
また	and/also	另外	또	thêm nữa
女性	girl(s)/ female(s)	女性	여성	nữ giới
ブランド	brand	名牌	브랜드	hàng hiệu
商品	product(s)/ merchandise	商品	상품	hàng hóa

開発・する	to develop (something)	创造	개발・하다	chế ra
決して〜ない	never	决不〜	결코 −지 않다	hoàn toàn không〜
理由	reason	理由	이유	lí do

㉒「傍（＝自分の周りにいる人）を楽にする」働き

江戸時代	Edo Era (1603 to 1868)	江户时代	에도시대	thời Edo
時代	era/ period	时代	시대	thời đại
人々	people	人们	사람들	người
傍	people around someone	旁边	주변	người xung quanh
楽（な）	easy	安乐(的)	편하다(편한)	nhàn hạ
働き	work	劳动	작용	tác động
そんなこと	that's (here: that's a piece of cake)	那样的事	그런 일	việc như thế
ですから	so/ therefore	因此	그래서	vì thế
違う	different	不同	다르다	khác
江戸	Edo (now Tokyo)	江户	에도	Edo
近所	neighborhood	街坊邻居	이웃	hàng xóm
一人暮らし	living alone	单身生活	혼자 사는	sống một mình
年寄り	elderly	老人	노인	người già
母子家庭	single-mother household	母子家庭	모자가정	gia đình chỉ có mẹ và con
父子家庭	single-father household	父子家庭	부자가정	gia đình chỉ có bố và con
手伝い	to help	帮忙	심부름	giúp
習慣	custom	习惯	습관	tập quán
稼ぐ	to earn one's living	挣钱	벌다	kiếm tiền
ボランティア	volunteer	志愿者	자원봉사	tình nguyện viên
夕方	evening	傍晚	저녁	chiều tối
一斉に	all together/ at the same time	一齐	일제히	đồng loạt
打ち水	sprinkle with water	泼水	물을 뿌림	té nước
リフレッシュ・する	to refresh	使恢复活力	기분전환・하다	lấy lại sức
ストレス	stress	精神压力	스트레스	căng thẳng thần kinh
ためる	accumulate	积压	쌓이다	giữ lại
暮らす	to live	生活	살다	sống một mình
しかも	moreover	并且	게다가	thêm nữa
評価・する	to evaluate/ judge	评价	평가・하다	đánh giá
決まる	to decide	决定	정해지다	được xác định
地位	position	地位	지위	địa vị
財産	property/ possessions/ wealth	财产	재산	tài sản

以外（いがい）		except/ besides	以外	이외	ngoài
世間（せけん）		society/ life/ world	世间	세상	thiên hạ
人間（にんげん）		human	人	인간	người
価値（かち）		value/ worth	价值	가치	giá trị
自己中（じこちゅう）		selfishness 自己中 is an abbreviation of 自己中の考え方, a selfish way of thinking.	自我中心	자기중심적인 생각을 하는 사람을 '지코추'라고 한다	lối sống tách biệt
現代（げんだい）		the present day/ current	现代	현대	hiện đại
比べる（くらべる）		to compare/ contrast	比	비교하다	so sánh

㉓ 地方（ちほう）を元気（げんき）に！

大都市（だいとし）	metropolis	大城市	대도시	thành phố lớn
では	well (here: well, how about ～)	那么	그러면	thế còn
地方（ちほう）	region(s)/ local area(s)	地方	지방	địa phương
施設（しせつ）	facilities/ institutions	设施	시설	cơ sở và thiết bị
集まる（あつまる）	to gather/ concentrate	聚集	모이다	tập trung
昔（むかし）	in the past	从前	옛날	ngày xưa
以外（いがい）	except/ besides	以外	이외	ngoài
支店（してん）	branch office	分公司	지점	chi nhánh
伝統的（でんとうてき）（な）	traditional	传统(的)	전통적(전통적인)	mang tính truyền thống
産業（さんぎょう）	industry	产业	산업	công nghiệp
～ために	because	为了～	-기 위해	do～
減る（へる）	to decrease	减少	줄다	giảm đi
人口（じんこう）	population	人口	인구	dân số
工夫（くふう）・する	to devise/ contrive (here: plan)	想方设法	궁리・하다	kỳ công
活動（かつどう）・する	to be active/ involved in an activity	活动	활동・하다	hoạt động
ブランド	brand	名牌	브랜드	thương hiệu
グルメ	gourmet	美食	미식(美食)	món ngon
言葉（ことば）	word/ term	词	말	tiếng, lời
生まれる（うまれる）	to be born/ start/ result from	诞生	태어나다	sinh ra
独特（どくとく）（な）	unique	独特(的)	독특(독특한)	độc đáo
ふるさと	home/ hometown/ place of birth	故乡	고향	quê hương
行う（おこなう）	to do/ hold/ have	举行	벌어지다	tiến hành
旅館（りょかん）	inn/ lodge	旅馆	여관	nhà nghỉ kiểu Nhật
すると	then	随之	그러자	thế là
以前（いぜん）	before/ previously	以前	이전	trước đây
ずっと	many more	…得多…	훨씬	hẳn
観光客（かんこうきゃく）	tourist(s)/ sightseer(s)	游客	관광객	khách du lịch

江戸時代（えどじだい）	Edo Era (1603 to 1868)	江户时代	에도시대	thời Edo
様子（ようす）	situation/ appearance/ look	外观	모양	quang cảnh
残す（のこす）	to leave/ keep/ retain	保留	남기다	giữ lại
宣伝・する（せんでん）	to advertise	宣传	선전・하다	quảng cáo
海外（かいがい）	abroad/ overseas	海外	해외	hải ngoại
増える（ふえる）	to increase	增加	늘다	tăng lên
若者（わかもの）	young people/ youth	年轻人	젊은이	giới trẻ
ユニーク（な）	unique	独特(的)	독특(독특한)	độc đáo
アイデア	idea	想法	아이디어	ý tưởng
応援・する（おうえん）	to support	支持	응원・하다	ủng hộ
プロジェクト	project	项目	프로젝트	dự án
活性化（かっせいか）	activation/ revitalization	活化	활성화	hoạt hóa
計画・する（けいかく）	to plan	计划	계획・하다	lập kế hoạch
発表・する（はっぴょう）	to present	发表	발표・하다	công bố
入賞・する（にゅうしょう）	to win (a prize)	获奖	입상・하다	được giải thưởng
どんどん	with great speed/ like anything	联系不断	척척	ngày càng
首都（しゅと）	capital city	首都	수도	thủ đô
違い（ちがい）	difference	差异	차이	sự khác nhau

㉔ 日本の地名〜六本木には木が６本？

地名（ちめい）	place name(s)	地名	지명	địa danh
首都（しゅと）	capital city	首都	수도	thủ đô
江戸（えど）	Edo (now Tokyo)	江户(现在的东京)	에도(도쿄의 옛 이름)	Edo (tên cũ của Tokyo)
つける	to attach/ apply/ name	命名	짓다	đặt tên
中心（ちゅうしん）	heart/ center	中心	중심	trung tâm
例えば（たとえば）	for example	例如	예를 들어	ví dụ như
松（まつ）	pine tree	松树	소나무	cây thông
大名（だいみょう）	feudal lord	大名	영주	lãnh chúa
他に（ほかに）	other	其他的	다른	khác
江戸時代（えどじだい）	Edo Era (1603 to 1868)	江户时代	에도시대	thời Edo
また	also	此外	또	lại
旅（たび）	trip/ journey/ travel	旅行	여행	chuyến đi
途中で（とちゅうで）	on the way/ during	途中	길에	giữa đường
泊まる（とまる）	to stay over	过夜	묵다	trọ lại
宿屋（やどや）	inn/ lodge	旅店	여관	nhà trọ
高級（な）（こうきゅう）	high quality/ class	高级(的)	고급(고급스러운)	cao cấp

役所	public/ official office (place)	政府机关	관청	nơi hành chính
～として	as	作为～	－로서	với tư cách là～
残る	to remain	保留	남다	còn lại
以外	except/ besides	以外	이외	ngoài
日本中	throughout Japan	日本全国	일본 국내	khắp Nhật Bản
以上	above/ more than	以上	이상	trên
このうち	of/ among these	在这些当中	이들 중	trong số này
商店街	shopping street/ district	商业街	상점가	khu phố thương mại
～てほしい	to want someone or something to do/ be something	希望～	－아/어 달라	muốn được làm ~cho
願い	request	愿望	소원	điều mong muốn
由来	origin	由来	유래	nguyên do

㉓ 笑う門には健康来る

笑う	to laugh	笑	웃다	cười
健康	health	健康	건강	khỏe
ことわざ	proverb	俗话	속담	tục ngữ
幸せ(な)	happy	幸福(的)	행복(행복한)	hạnh phúc
ある～	one/ a certain	有～	어떤－	có một~
調査・する	to investigate	调查	조사・하다	điều tra
ですから	so/ therefore	因此	그래서	vì thế
理由	reason	理由	이유	lí do
ストレス	stress	精神压力	스트레스	căng thẳng thần kinh
なくなる	to disappear	消失	없어지다	mất, hết
もう1つ	one more	还有一个	하나 더	thêm một cái
全体	all/ complete	全体	전체	toàn thể
筋肉	muscle	肌肉	근육	cơ bắp
眠る	to sleep	睡觉	자다	ngủ
落語	comic storytelling	单口相声	라쿠고	nghệ thuật kể chuyện
また	or	另外	또	lại
トレーニング・する	to train/ work out	练习	트레이닝・하다	luyện tập
やる	to do	做	하다	làm
まず	first off/ at first	首先	먼저	trước hết
鏡	mirror	镜子	거울	cái gương
動かす	to move	活动	움직이다	dịch chuyển
ポイント	point	要点	포인트	điểm mấu chốt
だんだん	more and more	逐渐地	점점	dần dần

慣れる	become accustomed to/ used to	习惯	익숙하다	quen
心配・する	to be concerned/ to worry	担心	걱정・하다	lo lắng
次に	next	然后	다음에	tiếp theo
思い出す	think about/ remember	想起来	떠올리다	nhớ lại
関係がある	to be related/ connected	有关联	관계가 있다	có quan hệ
幸せ	happiness	幸福	행복	hạnh phúc

㉖ 日本で最初のコピーライター

実は	actually	实际上	사실은	có chuyện thế này
江戸時代	Edo Era (1603 to 1868)	江户时代	에도시대	thời Edo
最初	the first	最初	첫	đầu tiên
コピーライター	copywriter	撰稿人	카피라이터	người viết quảng cáo
商品	product(s)/ merchandise	商品	상품	hàng hóa
宣伝・する	to advertise	宣传	선전・하다	quảng cáo
文	sentence(s)	文章	글	câu văn
ポスター	poster	海报	포스터	tờ áp-phích
広告	advertisement	广告	광고	quảng cáo
ラジオ	radio	收音机	라디오	đài phát thanh
ＣＭ	commercial message	商业广告	CF	chương trình quảng cáo
ウェブサイト	website	网站	웹 사이트	website
憧れる	to admire	憧憬	동경하다	mơ ước
職業	occupation/ work	职业	직업	nghề nghiệp
かっこいい	cool/ stylish	潇洒的	멋있다	hay
イメージ・する	to imagine	印象	이미지・하다	hình dung
すでに	already/ by that time	早就	이미	ngay
博物学者	natural historian	博物学家	박물학자	nhà bác học
発明家	inventor	发明家	발명가	nhà phát minh
作家	author	作家	작가	nhà văn
画家	painter/ artist	画家	화가	họa sĩ
マルチ人間	versatile person	多才多艺的人	멀티인간	người đa năng
歯磨き	tooth brushing	刷牙	치약	đánh răng
コマーシャルソング	commercial song/ advertising jingle/ ditty	广告歌曲	CF 송	bài hát quảng cáo
作詞	lyric writer	作词	작사	sáng tác lời
作曲	composer	作曲	작곡	sáng tác nhạc
もち	rice cake	年糕	떡	bánh dày
夏バテ・する	to have/ suffer from summer heat fatigue	苦夏	여름을・타다	mệt vì nóng mùa hè

防止・する	to prevent	防止	방지・하다	phòng chống
ウナギ	eel	鳗鱼	장어	con lươn
習慣	custom	习惯	습관	tập quán
近づく	to approach/ draw near	快要	다가오다	đến gần
キャッチコピー	catch phrase/ slogan/ buzzword	广告词	선전 문구	tiêu đề
困る	to be troubled/ have a hard time	为难	난감하다	gặp vấn đề
頼む	to ask/ request	请求	부탁하다	nhờ vả
このようなことから	from things like these/ from this/ this is why	出于这些记载	이런 것들에 인하여	từ chuyện thế này
すすめる	to recommend/ promote	推荐	권하다	giới thiệu

㉗ のっぺらぼう

あるところ	a certain/ one place	某个地方	어떤 곳	vùng nọ
暗い	dark	暗	어둡다	tối
寂しい	lonely	冷清的	외롭다	buồn
別	another/ separate	别	다른	khác
辺	area/ vicinity/ neighborhood	附近	주변	chỗ
商人	merchant	商人	장사꾼	thương nhân
急ぐ	to hurry	急忙	서두르다	vội
泣く	to cry (tears)	哭	울다	khóc
お金持ち	wealthy	富人	부자	người giàu
娘	daughter	女儿	처녀	con gái
心配・する	to be concerned/ to worry	担心	걱정・하다	lo lắng
声をかける	to call/ talk to	打招呼	말을 걸다	gọi, mời
そんなに	that/ so much	那么地	그렇게	như thế
喜ぶ	to rejoice/ be happy	高兴	기뻐하다	vui
泣き続ける	to continue crying	继续哭	계속 울다	khóc mãi
立ち上がる	to stand up	站起来	일어서다	đứng dậy
肩	shoulder	肩膀	어깨	vai
～のほう	toward	～的方向	-쪽	phía~
向く	to turn/ face/ look toward	向	향하다	ngoảnh mặt
逃げ出す	to flee	逃跑	도망가다	bỏ chạy
一生懸命(な)	try as hard as one can/ with one's whole heart	拼命(的)	열심히(열심히 하는)	hết mình
真っ暗	pitch dark/ complete darkness	漆黑	캄캄함	tối om
走り続ける	to continue running	不停地跑	계속 뛰다	chạy liên tục
すると	then	就在那时	그러자	thế là
明かり	light	灯光	불	ánh đèn

向かう	to face	朝着	향하다	hướng tới
さらに	more	更加	더	thêm nữa
屋台	booth/ stall/ stand	货摊	포장마차	quán
そば	buckwheat noodles	荞麦面条	메밀국수	mì soba
提灯	lantern	灯笼	제등	đèn lồng
主人	master/ owner	主人	주인	người chủ
強盗	robber(s)/ thief(thieves)	强盗	강도	kẻ cướp
泥棒	robber(s)/ thief(thieves)	贼	도둑	kẻ trộm
息を切らす	out of breath	喘不上气	숨을 헐떡이다	thở mạnh
触る	to touch	摸	만지다	sờ
つるつる	smooth	光溜溜的	반들반들	trơn nhẵn
辺り	area/ vicinity/ neighborhood	附近	주위	chỗ
想像・する	to imagine	相像	상상・하다	tưởng tượng

㉘ まんじゅう怖い

まんじゅう	sweet bun	包子	만두	bánh bao Nhật
怖い	frightening/ scary	害怕的	무섭다	sợ
あるとき	once	有一次	어느 날	một hôm
兄貴	older brother	大哥	형	anh, đại ca
お互いに	together/ with one another	互相	서로	nhau
お前	you	你	너	mày
俺	I	我	나	tao
カエル	frog	青蛙	개구리	con ếch
背中	a back	背	등	lưng
豆	bean(s)	豆子	콩	đậu
ヘビ	snake	蛇	뱀	con rắn
にゅるにゅる	slimy	蛇蜒	꿈틀꿈틀	uốn cong
感じ	feeling	感觉	느낌	cảm giác
ぞっとする	to shiver/ shudder	毛骨悚然	오싹해지다	rợn người
なんだかなあ	I wonder why	怎么回事	정말이니	thế nào nhỉ
ミミズ	worm(s)	蚯蚓	지렁이	con giun đất
似る	to look like	相似	닮다	giống
クモ	spider	蜘蛛	거미	con nhện
巣	web	网	집	cái tổ
ほら	look here/ hey, now	喂	그럼	này
鉢巻き	headband	缠头布	머리띠	băng quấn đầu

うまい	good (here: taste good)	好吃的	맛있다	ngon
納豆の糸	the stringy part of fermented soybeans	纳豆丝	낫토 실	sợi đậu ủ
いっぱい	a lot	很多	많다	nhiều
実は	actually	实际上	사실은	có chuyện thế này
何だい	what? (generally used by the elderly)	什么（长辈对晚辈的一种独特的语言表达方式。）	뭐야 (나이가 많은 사람이 나이가 적은 사람에게 하는 독특한 표현)	cái gì (cách nói người nhiều tuổi thường dùng với người vai dưới)
ブルブル	onomatopoeia for shivering	哆哆嗦嗦	벌벌	run rẩy
震え始める	to begin shivering	开始发抖	떨리기 시작하다	bắt đầu run
しばらくすると	after a while	过了一会儿	시간이 좀 지나자	một lúc sau
けんか・する	to argue/ fight	打架	싸움·하다	cãi nhau
勝つ	to win	取胜	이기다	thắng
あいつ	that one	他	저놈	hắn, nó
いじめる	to bully/ be mean	捉弄	구박하다	bắt nạt
なるほど	I see!	原来如此	역시	à ra thế
よし	alright/ OK!	好的	자	được rồi
おい	hey!	喂	야	này
天丼	tempura over rice	天妇罗盖饭	튀김덮밥	món cơm với tôm chiên
具合	condition/ state	身体情况	상태	tình trạng cơ thể
食べてくれ	eat it for me	请吃	먹어 주라	ăn đi cho tôi
障子	sliding paper door	纸拉窗	장지	vách ngăn bằng giấy
穴	hole	洞	구멍	cái lỗ
様子	situation	情况	상황	vẻ ngoài
布団	futon/ bedding	被褥	이불	chăn đệm
叫ぶ	to scream/ yell	喊叫	외치다	hét
うそをつく	to lie/ to tell a lie	说谎	거짓말을 하다	nói dối

できる日本語準拠 たのしい読みもの55　初級 & 初中級
PC：7013030